OITO HORAS PERFEITAS

LIA LOUIS

OITO HORAS PERFEITAS

TRADUÇÃO
Lígia Azevedo

paralela

Copyright © 2022 by Lia Louis

A Editora Paralela é uma divisão da Editora Schwarcz S.A.

Grafia atualizada segundo o Acordo Ortográfico da Língua Portuguesa de 1990, que entrou em vigor no Brasil em 2009.

TÍTULO ORIGINAL Eight Perfect Hours
CAPA Ale Kalko
ILUSTRAÇÃO Nik Neves
PREPARAÇÃO Larissa Luersen
REVISÃO Bonie Santos e Natália Mori

Dados Internacionais de Catalogação na Publicação (CIP)
(Câmara Brasileira do Livro, SP, Brasil)

Louis, Lia
  Oito horas perfeitas / Lia Louis; tradução Lígia Azevedo. — 1ª ed. — São Paulo: Paralela, 2022.

  Título original: Eight Perfect Hours.
  ISBN 978-85-8439-283-4

  1. Ficção inglesa I. Título.

22-120598   CDD-823

Índice para catálogo sistemático:
1. Ficção : Literatura inglesa   823

Cibele Maria Dias – Bibliotecária – CRB-8/9427

[2022]
Todos os direitos desta edição reservados à
EDITORA SCHWARCZ S.A.
Rua Bandeira Paulista, 702, cj. 32
04532-002 — São Paulo — SP
Telefone: (11) 3707-3500
editoraparalela.com.br
atendimentoaoleitor@editoraparalela.com.br
facebook.com/editoraparalela
instagram.com/editoraparalela
twitter.com/editoraparalela

Para Ben, a pessoa na outra ponta
do meu fio vermelho.

*Um fio vermelho invisível conecta
quem está destinado a se conhecer,
independente do momento, do lugar e das circunstâncias.
O fio pode esticar ou emaranhar. Mas nunca se rompe.*
Antigo provérbio chinês

1

Para Noelle. Minha garota. Minha melhor amiga.

Aqui está. Uma carta do meu eu do passado para o seu eu do futuro. Cara, é tão estranho escrever isso sabendo que, daqui a quinze anos, você vai ler estas palavras. A Noelle Butterby do futuro! Me pergunto onde você vai estar, quem vai acabar se tornando. Imagino que esse seja o sentido disso, registrar nossas previsões e expectativas uma para a outra. (É melhor que você tenha incluído o Leo DiCaprio na minha carta, Elle, e espero que não se resuma apenas a um encontro com ele e um mísero beijo de despedida. Quero a cena tórrida do carro em Titanic, com músicas do Boyz II Men de fundo e nenhuma morte relacionada a um iceberg, claro.)

Agora vamos às minhas expectativas em relação a você, Noelle do futuro. São muitas.

Pra começar, prevejo que você vai estar tão ocupada que quase vai esquecer que chegou o dia de desenterrar a cápsula do tempo. Acho que você vai chegar de avião de... Los Angeles, quem sabe? Da Indonésia? Ah! Que tal de Queensland, a terra dos instrutores de mergulho gatos? Bom, o que eu sei é que você vai ser tão viajada que os seus filhos vão ter nomes descolados de vilarejos distantes que ninguém mais conhece e que você vai acabar misturando termos em francês na conversa "sem perceber".

Espero que a sua vida seja cheia de amor. Eu sei, eu sei, é um clichê, e é a minha cara, mas é verdade. Espero mesmo. Que a sua vida transborde amor! Do tipo que dá arrepio e friozinho na barriga, que te deixa sem fome e com vontade de vomitar. Eu poderia mencionar a sua alma gêmea, a pessoa do outro lado do seu fio vermelho, mas não quero que você revire tanto os olhos que eles nunca mais voltem ao normal, porque aí você nem vai conseguir ver o cara. Aliás, ele vai ser muito gato. E charmoso. E tão alto que você vai ficar com dor no pescoço. Ele vai ser do tipo que tem os pés tão grandes que não pode comprar sapato em qualquer loja. Você vai ter tudo do bom e do melhor, amiga. É só esperar para ver.

Espero que você arranje um trabalho que nem pareça trabalho.

Espero que você aprenda a fazer a massa de pizza que a gente erra todo fim de semana.

Espero que você ande de balão, que passe uma noite de verão sob as estrelas (literalmente, e não dentro de uma barraca). Espero que você faça uma viagem de trem noturno. E, principalmente, espero que seja feliz, Noelle Butterby. Que, a esta altura, você veja o que eu vejo, toda essa capacidade, essa bondade e essa luz, e que deixe isso tudo se revelar. Espero que tenha mostrado ao mundo que você está aqui.

Finalmente (porque o papel e o envelope que eles nos deram são ridículos de pequenos), espero que, não importa onde estejamos, a gente continue em contato independente de qualquer coisa. E lembre: quando não pudermos estar juntas, é só fechar os olhos e fingir.

Te amo, Noelle.

Beijos da sua amiga,

Daisy

Não tenho certeza de como imaginei que estaria neste momento na vida. Se quinze anos atrás me perguntassem "Então, Noelle, como você acha que vai estar no dia nove de março daqui a quinze anos?", eu provavelmente teria dito algo como "Feliz e resolvida" ou "Parecendo ter saído de um catálogo de Natal. Sentada num daqueles sofás de canto sofisticados, numa bela casa, com um marido sorridente vestindo suéter". Uma coisa é certa: eu não esperava *isso*. Estar sozinha, presa no carro, no meio da neve em uma estrada parada, com o celular morto e as lágrimas removendo a maquiagem mais rápido do que qualquer demaquilante caro seria capaz. E com o coração partido, pelo menos um pouco. Resumindo, nada no controle. E "nada no controle" não estava entre as muitas coisas que eu poderia ter esperado. Nem de longe.

Eu deveria saber que a noite ia ser um desastre — ou que ia dar merda, como meu irmão Dilly diria. A neve inesperada caindo lentamente *em março*, o trânsito dolorosamente intenso, a entrada do carregador do carro antigo me deixando na mão *de novo*, eu chegando meia hora atrasada apesar de ter saído de casa na hora certa e ter programado tudo meticulosamente. Uma pessoa um pouco mais supersticiosa diria que eram pequenos avisos do que estava por vir. Sinais desesperados do universo alertando: "Dê meia-volta agora, Noelle!" ou "Sei que você acha que deve ir hoje à noite, sei que faz quinze anos, mas pode confiar: vai ser uma completa tragédia. É melhor fazer o retorno, gastar dois dias de salário comprando *donuts* naquele drive-thru e já comer uma boa dúzia no caminho de volta". Mas, apesar de tudo, eu estava otimista. Passando um pouco mal, com o estômago se revirando, claro, mas esperançosa. Até um pouco animada. Para ver a minha antiga escola. Os colegas crescidos, as velhas salas de aula, o refeitório em que comíamos batatas fritas encharcadas de óleo ou assadas e borrachudas. Finalmente ler a carta que Daisy me escrevera antes de morrer e pegar a câmera com os registros finais maravilhosos dela.

Além disso, eu ia rever Ed. Acabaríamos conversando. Talvez até pudéssemos beber alguma coisa juntos e falar sobre o que deu errado — sobre como *deu merda*.

Agora a neve bate mais rápido contra o para-brisa, e eu me sinto dentro de um globo de neve de ponta-cabeça. Faz um século que o trânsito não anda. Não sei exatamente há quanto tempo, mas o bastante para mandar uma mensagem à minha mãe antes que meu celular morresse dizendo que estava presa num engarrafamento, e para ler a carta de Daisy sob o brilho amarelado da luz interna do carro. Também tive bastante tempo para chorar, a ponto de precisar assoar o nariz no pano de microfibra verde-neon guardado no porta-luvas e que serve para desembaçar os vidros. Espero que os outros motoristas não tenham notado. Ver a caligrafia de Daisy causou isso — os pequenos Cs que eram os pingos nos Is, como luas novas —, e ouvir a voz animada e musical dela na minha cabeça enquanto lia. As piadinhas. A menção ao fio vermelho, algo que ela tinha visto em um livro e com que sonhou por semanas. E ver, preto no branco, tudo o que eu não fiz.

Alguém buzina inutilmente atrás de mim, o que leva outra pessoa a fazer o mesmo. Como se pudesse ajudar, como se fosse ter alguma influência na fila de carros grudados. O pânico aumenta dentro de mim, borbulhante e quente. Engulo em seco.

Logo vamos voltar a andar. Deve haver centenas de pessoas na estrada, *milhares* talvez, todas querendo ir para casa ou para outro lugar, onde alguém as espera. Não vão nos deixar aqui por muito tempo até que o que quer que esteja causando o congestionamento seja resolvido, não é? Os faróis traseiros do carro na minha frente se apagam, como se dissessem: "Na verdade, sim, Noelle". De novo, como gás subindo por uma garrafa, o pânico efervesce no meu peito. Ligo o rádio.

A câmera não estava lá. Isso não ajudou a conter as lágrimas, o fato de que a câmera com vinte e quatro fotos não reveladas de Daisy não estava na cápsula do tempo. Tudo bem que um monte de outras coisas não estava lá também, incluindo metade dos alunos que haviam confirmado presença, a pessoa do jornal local que tiraria fotos e as barracas de churrasco e cerveja que a escola tinha anunciado. A neve e o trânsito atrapalharam tudo. Mas sei que Daisy pôs a câmera junto com a carta no envelope plástico muitos anos atrás, antes que a cápsula fosse enterrada, e assim que me entregaram percebi pelo peso que não estava lá dentro.

"Não conseguimos tirar tudo por causa do tempo", a nova coordenadora de história me disse, com as mangas arregaçadas e as bochechas coradas. "Muitos dos pacotes estavam nessa cápsula do tempo, mas o restante ficou na outra, que vai continuar enterrada até que o reencontro seja remarcado, infelizmente." Atrás de mim, ex-alunos decepcionados punham a conversa em dia com velhos amigos enquanto bebiam vinho barato em copos plásticos, resumindo uma vida toda em anedotas de dez minutos, reclamando do tempo e dos trens cancelados e comentando que era uma pena que a neve tivesse estragado a noite.

"Mas é que... a câmera estava *neste* envelope", insisti.

"Sei...", a mulher disse. "Como falei, pode estar na outra cápsula." Ela me entregou uma caneta e uma prancheta. "Deixe suas informações de contato aqui, pra gente avisar quando o evento for remarcado. Ou se a gente encontrar alguma coisa." Foi isso — um rabisco espremido debaixo de uma lista improvisada de nomes, até que alguém de jaqueta fosforescente dissesse a todos que iam fechar as portas em dez minutos. Foi então, quando me virei, com a carta e o envelope de Daisy na mão e o coração palpitando, que vi Ed. Vinte e seis meses e meio se passaram desde que terminamos — quando ele pegou o avião para os Estados Unidos, a mais de cinco mil quilômetros de mim —, e ali estava ele. A metros de distância, no saguão da escola, em meio a ex-alunos perplexos e ao ruído das conversas, bronzeado, os olhos brilhando e parecendo renovado, daquela maneira intangível que têm as pessoas que voltam para casa. Com novas experiências e novos lugares escritos na cara delas, um viço diferente na pele. Ed me viu imediatamente. Fixamos o olhar um no outro. E... *nada*. Nem mesmo um aceno de cabeça. Nem mesmo um sorrisinho desconfortável. Só um momento congelado no tempo antes que ele se virasse e fosse engolido pelas portas automáticas. Doze anos de lembranças juntos, de almoços de domingo, Natais, viagens de fim de semana, doze anos me vendo descolorir os pelos da barriga e que aparentemente não foram dignos nem do tipo de sorriso que se dirige a desconhecidos no supermercado. *Nossa.* É mais que deprimente. *Donuts.* Eu devia ter ido comprar os *donuts*.

A neve continua caindo implacavelmente do lado de fora. Como se em sincronia, o mar de luzes laranja iluminando a estrada molhada à frente começa a se apagar, carro a carro, como chamas assopradas. São os motoristas desistindo e desligando o motor.

"Agora uma música pra esquentar", diz o locutor da rádio. "E que pena que não é Natal, porque está nevando pra caramba."

E é verdade. Está nevando demais. São flocos reais e espessos que vão se acumulando. Meu celular está no banco do passageiro, com a tela preta, sem bateria. Não posso matar o tempo no Instagram ou no Twitter nem responder à mensagem que Charlie me mandou sobre Ed ("Ele é um idiota sem tamanho, Noelle. Um otário e um covardão"), não vamos poder dissecar o encontro como duas detetives baratas. E, é claro, não posso ligar para minha mãe — ou para qualquer outra pessoa. Tento usar o carregador de novo. Nada acontece, óbvio.

Solto um *"Meeeeeeerda!"* totalmente inútil e levo as mãos ao rosto úmido e quente. O rádio toca uma música do Harry Styles que fala sobre morangos em uma noite de verão. Eu poderia rir da ironia, com o termômetro do carro indicando menos cinco graus, os carros enfileirados e completamente parados na via. Não posso ficar presa aqui. *Não posso.* Tenho minha mãe. O que vou fazer com ela se eu ficar presa aqui por mais uma ou duas horas?

Depois de vinte minutos tensos, a sinalização luminosa adiante exibe em letras piscantes: M4 FECHADA TRÂNSITO NA VIA; depois de mais dois minutos, as lágrimas voltam a rolar (e o paninho continua a ser usado); outros cinco se passam e ouço o barulho de dedos batendo na janela do passageiro.

2

"Hum, oi. Você... precisa de ajuda?"

Olho através da fresta mínima do vidro do passageiro. É um homem com olhos castanhos sérios e cílios bem pretos, me encarando enquanto flocos de neve pesados caem.

"Eu... eu estava..." Minha voz sai grossa, como se eu tivesse uma bola de meia na garganta. "Estava tentando..."

"Vi você com o celular", ele me corta, então faz um movimento meio amalucado com o braço no ar antes de enfiar a mão no bolso do casaco.

"Ah, é." Ótimo. Como eu temia, outros motoristas viram meu colapso. As lágrimas, os xingamentos ao vento, a porcaria do pano de microfibra com a cor de uma calcinha de rave. "Estava sem sinal", pigarreio e me endireito no banco, como se para provar que na verdade sou muito equilibrada. "E agora acabou a bateria. Eu estava tentando falar com a minha mãe." Pego o telefone morto. "Pelo menos consegui mandar uma mensagem antes de desligar. Por sorte."

O homem olha para a estrada à frente, depois volta a olhar para mim através do vidro. "Bom, se você precisar de um celular ou de um cabo emprestado... dá um grito." Ele é americano. *Muito* americano. Meu irmão Dilly provavelmente adivinharia de que estado do país ele é depois de ouvir poucas palavras. Dilly é obcecado pelos Estados Unidos. A comida, os filmes, as caixas de correio esquisitas, o fato de que todo mundo come torta de maçã (ele é quem diz isso, não eu). Uma vez, ele foi a um encontro com um cara de Boston e passou uma semana falando com um sotaque tão obscuro que Ian, o vizinho, perguntou gentilmente se era possível — e garantindo que não devíamos nos preocupar — que Dilly estivesse tendo uma reação alérgica.

"Obrigada. Mas não é o cabo", digo ao americano. "É a entrada. Tipo, o buraquinho."

"Ah."

"O idiota do meu irmão quebrou tentando conectar o notebook. Ficou em casa dois dias, pegou o carro emprestado e pronto. Ele disse que precisava desesperadamente mixar uma música. Só tinha saído pra comprar extrato de tomate."

"Entendi."

"É um carro bem velho", continuo falando, como se o pobre coitado se importasse, mas agora engatei, como sempre acontece quando me dão respostas curtas ou ficam em silêncio. Não consigo evitar preencher o vazio com palavras. Fora que ele... bom, não posso negar a ciência e a natureza. Ele é bonito. Tipo... *bem* gato. "O ar-condicionado tá emperrado no modo frio. E às vezes o carro simplesmente tranca a gente dentro e se recusa a abrir."

"Sei", é tudo o que o cara diz, mas identifico um sorriso tímido através do vidro embaçado, como se ele soubesse que o ar-condicionado só está quebrado porque derrubei uma lata de refrigerante no botão. "Bom, se precisar carregar, eu..." Ele olha por cima do ombro para um carro preto parado ao lado do meu, com o interior iluminado e a porta entreaberta. "... tô logo ali."

"Ah." Assinto. "Tá legal. Obrigada. Mas acho que vamos voltar a andar logo mais."

"Que otimista", ele diz meio que para si mesmo.

"É. Tô torcendo." E é verdade. Tenho que torcer. Porque minha mãe não está acostumada a ficar em casa sem mim, sozinha, e se eu pensar muito no fato de estar presa no trânsito e em como a noite foi um desastre completo, talvez chore mais, e esse cara já viu o bastante — a estrada inteira já viu, na verdade. Fora que ela não espera que eu volte antes das dez, portanto ainda tenho uma hora para chegar lá, sem drama e sem nenhuma conversa com desconhecidos com carros desconhecidos e caixas de correio esquisitas.

"Então tá." Ele se endireita e faz um aceno desajeitado de cabeça.

"Obrigada por oferecer." Um momento depois, já fechei bem a janela e ele está dentro do carro ao lado no asfalto congelado.

3

É incrível como meia hora passa dolorosamente devagar quando não se está com o celular. Não gosto de pensar que sou viciada no meu, mas, se for o caso, ao menos não sou uma escrava dele, como minha amiga Charlie, que passa as noites de domingo pensando em maneiras de *não* usar o celular. "Passei a semana inteira no celular, Noelle, apesar de ter dito pra todo mundo que estava sem tempo", ela me disse uma vez. "Antes eu gostava de meditar. Gostava de homens com barba. Agora, não. Agora só preciso de uma tela e de internet. É triste. Uma tragédia dos tempos modernos." Mas, sem estar conectada, tudo o que tenho para fazer é olhar pelo para-brisa, roer as unhas e acompanhar as pessoas saindo dos carros para fazer xixi no mato ou buscando por cobertores velhos e empoeirados no fundo do porta-malas, ou quaisquer outras coisas em sacolas de compras, enquanto a neve continua caindo. Alguém da pista ao lado apareceu agora há pouco com um *banjo*.

A rádio volta com as notícias, mas são as mesmas de vinte minutos atrás. Algo sobre um jogador de futebol e um caso na justiça, depois os anúncios anasalados de "a neve cobre toda a Inglaterra", "atrasos", "rodovias fechadas" e "a recomendação é não sair de casa a não ser que seja necessário".

Talvez eu devesse ter ouvido minha mãe e suas súplicas para não sair de casa. "O Gary, do 21, escreveu no Facebook que vai nevar quinze centímetros, Noelle", ela disse antes que eu saísse, enquanto fechava o colarinho do roupão cor-de-rosa. "E ele tá sempre certo. Já trabalhou naquelas lojas de artigos esportivos." Mas minha mãe nunca sai de casa, mesmo quando necessário. Faz três anos desde que ela saiu pela última vez, ou melhor, que não vai a lugar nenhum além da lata de lixo reciclável no jardim da frente e do cabeleireiro, a cada oito semanas. E do salão de beleza ela vai e volta como se estivesse em prisão domiciliar e só tivesse quarenta e cinco minutos antes que a polícia aparecesse e a rendesse no capô da viatura para algemá-la — ela só entra e sai, sem tomar um chá ou conversar na recepção. Se eu desse ouvidos a ela, nunca iria a lugar nenhum. E aí onde nós duas acabaríamos?

Dou uma olhada no americano. Fico achando que ele vai me pegar no flagra, como se eu fosse uma pervertida em um bar fumacento, mas, quanto mais o tempo passa, quanto mais eu tento, de novo e de novo, mexendo inutilmente na entrada do carregador, pegando o cabo e conectando e desconectando, mais sou obrigada a aceitar: *preciso de ajuda*. Tenho que avisar minha mãe, porque agora ficou claro, depois do xixi no mato e do banjo, que não vamos sair daqui tão cedo.

Abro a porta e saio. A neve atinge meu rosto e escorrega pelo casaco. Estou usando um vestido emprestado bem fino, o que definitivamente foi uma péssima ideia. Está *congelando*.

Quando me aproximo do carro, o americano está olhando para baixo. Talvez tenha um livro ou um jornal. Ele ergue a cabeça quando bato na janela, então desce o vidro. Um cheiro de café quente e banco de couro novo escapa para o ar frio.

"Oi", ele diz.

"Odeio pedir isso, mas posso usar o seu carregador?"

"Claro. Quer que eu fique com o celular e avise quando estiver pronto, ou... prefere entrar, ou...?"

Ele não completa a frase, mas aponta preguiçosamente para o interior do carro, por cima do ombro.

Nossa, é uma situação muito desconfortável. Seria estranho entregar o celular a um desconhecido e pedir para carregar o suficiente para conseguir fazer uma ligação, depois torcer para que ele não veja as possíveis mensagens, porque não é exatamente incomum que Charlie me mande uma foto da tatuagem nova que fez na parte interna da coxa peluda do Theo ou uma foto do pinto do Orlando Bloom com uma mensagem do tipo: *Só mais uma prova a favor do meu posicionamento: paus podem ser bonitos.* Mas também seria estranho entrar no carro de um desconhecido, ainda que o trânsito esteja parado e que ele pareça muito charmoso e normal, nem um pouco como um *serial killer*. Eu geralmente não faria nada disso. Mas não são circunstâncias normais, né? Um homem falando com alguém da polícia em outra pista acabou de puxar uma baguete de uns sessenta centímetros do banco de trás triunfantemente, como se provasse alguma coisa com isso.

"Acho que posso entrar rapidinho, se não tiver problema."

O americano tem um carro de adulto, desses com bancos aquecidos, uma boa quantia de moedas para troco dando sopa e uma bela caixa de lencinhos de papel no porta-luvas, em caso de choro ou nariz escorrendo. Duvido que ele já tenha bebido refrigerante aqui. Duvido que tenha comido um McChicken com fritas, derrubado ketchup no estofado e esfregado até a mancha desaparecer no tecido.

"Quer ligar do meu celular?", o americano pergunta.

"Hum, ela não vai atender." Fecho a porta. "Minha mãe. Ela não atende números de estranhos."

"Ah. Tá." O rádio está ligado, tocando folk — o vocal é lento e rouco, a guitarra é suave —, e o aquecedor zumbe baixo. O americano pega um carregador no descanso de braço entre nós e conecta uma ponta na entrada debaixo do rádio. Ele me oferece a outra ponta. "Aqui."

"Ah. Obrigada." Conecto o telefone e deixo em cima da perna. Sinto um alívio me esquentar por dentro, como se eu tivesse bebido, quando o símbolo de carga aparece na tela. Solto um "ufa!", e ele sorri.

Ficamos em silêncio, nos viramos para a frente e olhamos através do para-brisa cheio de neve. Fico girando um botão do casaco. O americano se endireita no banco, puxando um fio solto do jeans na coxa. Ele me dá uma olhada e percebe que olhei também, então os dois sorrimos educadamente, como se sorri para um desconhecido. Ele tem uma cara boa e intangível, do tipo que é difícil expressar em palavras. Quando Charlie estava solteira, passava pelas fotos dos caras nos aplicativos e dizia: "Só quero um com a cara boa, sabe? Um rosto simpático, confiável, normal, que faz a gente pensar: *Sim. Eu entraria com você numa floresta sabendo que as chances de continuar viva seriam grandes*". O americano tem esse tipo de cara.

"Tá nevando forte, né?", eu digo, porque, convenhamos, preciso falar alguma coisa. "A previsão era que fosse leve ou nem chegasse a nevar."

O americano se abaixa para olhar pelo para-brisa. Os limpadores formaram duas fatias de melancia perfeitas. "É. Mas... acho até que tá tranquilo."

"Sério?"

Ele dá de ombros. "Bom, em comparação com a neve em... Toyama, Syracuse ou coisa do tipo."

"Ou... no Polo Norte", contribuo, sem jeito.

Ele sorri e diz: "Ah, sim. Ou no Polo Norte".

Os flocos de neve voando lá fora parecem penas de ganso de um travesseiro gigante. A música muda. Um silêncio constrangedor se segue. É melhor eu ir. Vou sair do carro assim que tiver um pinguinho de carga.

"Você já tá perto de casa?", ele pergunta.

"Mais ou menos. Falta uma meia hora." Ele assente e diz que está a caminho do aeroporto para voltar para casa.

"Onde você mora?" Dilly adoraria estar no meu lugar agora para arriscar acertar um estado.

"Nos Estados Unidos. No Oregon."

"*Sério?*" Percebo que desafinei um pouco, e ele ergue as sobrancelhas escuras. Não posso explicar o choque. É para onde Ed foi. Para onde eu deveria ter ido também, com ele, começar uma nova vida. Até que de repente não pude ir. Não tive escolha a não ser ficar. "É que... eu, hum, me correspondia com alguém de Portland", prefiro dizer. Ainda é verdade, mas não é tão pesado quanto dizer que meu namorado médico me largou para trabalhar em um hospital no Oregon. Ele não quer saber dessa história.

"Sério?"

"Eu tinha treze anos. Foi coisa da escola. Cada um devia escrever pra outro adolescente, todos estrangeiros. Mas alguma coisa aconteceu, e ele passou seis semanas afastado da escola. Ou talvez só estivesse me evitando, o que seria uma sábia decisão..."

O americano ri. Gosto da risada dele. É calorosa e genuína. Eu relaxo um pouco.

"Depois troquei duas cartas com uma menina muito inteligente, mas totalmente desinteressada. Ela deve ter me achado um tédio. Falava de pré-história e Sócrates, enquanto eu ficava listando fatos sobre o Brian dos Backstreet Boys."

Ele ri de novo. "Moro meio perto de Portland. Bom, a uma ou duas horas. Na praia."

"Na praia. Que legal."

Notícias do trânsito interrompem a música calma, e ele se inclina para a frente para abaixar o volume e procurar outra estação, pressionando a tela algumas vezes e parando em uma qualquer. Trocamos outro sorriso desconfortável, desses reservados a desconhecidos.

Aperto o botão na lateral do celular. O símbolo da bateria pisca. Claro. *Claro* que ela não tem pressa nenhuma de carregar enquanto fico presa no carro de um cara aleatório. "Ainda tá zerada, desculpa. Mas não deve demorar muito, só preciso de bateria suficiente pra ligar pra minha mãe..."

O americano dá de ombros mais uma vez. "Tudo bem. Fora que é um jeito de passar o tempo." Ele pega um jornal dobrado do lado do próprio banco e mostra as palavras cruzadas ainda por terminar, com alguns quadradinhos preenchidos de caneta vermelha. "Duas cabeças pensam melhor que uma, certo?"

Demoro um pouco para responder. "Nem sempre."

"Nem sempre?"

"Uma cabeça que não seja a minha provavelmente se sai melhor com palavras cruzadas. Isso também vale pra geografia."

Ele sorri. Uma covinha se forma na bochecha dele, e sinto um friozinho na barriga. "Bom, você sabia que Portland ficava no Oregon."

"É verdade."

"Então pronto. A maior parte das pessoas aqui fala comigo e já pressupõe que sou de Nova York ou da Califórnia. E me pergunta se conheço o Keanu Reeves."

Dou risada. "Pois é, pra gente esses são os únicos estados americanos que existem."

"Sério?"

"Sério. Pra gente, todo mundo trabalha na Paramount, vai ao baile de formatura da escola e conhece alguém chamado Chad." Paro na hora. "E agora tô preocupada que o seu nome seja mesmo Chad. É claro que eu não quis dizer que..."

"Sam. Meu nome é Sam."

"Sam." *Sam.* Faz sentido. Ele tem cara de Sam. É um nome forte, clássico e seguro, e de alguma forma tenho certeza de que ele é todas essas coisas. "Meu nome é Noelle."

"Noelle. Tipo..."

"O Papai Noel. Pois é."

"Eu ia dizer tipo o Noel Gallagher." As bochechas de Sam revelam um sorriso tímido, e eu não sei dizer se ele está fazendo uma brincadeira ou não.

"Bom, na verdade os dois são 'Noel', e eu sou Noelle. No-elle. Com mais um L e um E no fim. Um detalhe muito importante."

Sam assente. "No*elle.*"

Sorrio. "Isso."

Ele leva a caneta ao jornal sobre o colo. "Então tá, Noelle Não Gallagher. O que você sabe sobre filósofos antigos? A dezesseis vertical está me deixando louco."

4

"Ah, Noelle, não acredito. Você tem comida? Água? Tá aquecida? Deu em todo lugar. Parece que foi um acidente com um caminhão. Graças a Deus ninguém se machucou. E agora você tá na rua, com toda essa neve, que pesadelo! Você tá bem, não tá?"

"Tô bem, mãe. E você?"

"O Ian tá aqui."

"Sério?"

"Ele estava de passagem! Não é muita sorte? Deu uma passada pra ver o portão dos novos vizinhos, porque eles estavam reclamando. Eu disse que a gente sempre comenta que aquela mulher parece bem nervosinha, azeda que nem limão, e que você sorriu pra ela quando foi tirar o lixo e ela te ignorou. Não surpreende que tenha reclamado do portão, entre todas as coisas..."

"Ele vai ficar aí?"

"Ian, ela tá perguntando se você vai ficar. Ele... tá. Sim. Ele disse que pode ficar até você chegar. Tenho certeza de que até umas... Será que você chega umas onze?"

"Não sei, mãe. O trânsito tá completamente parado."

"Ah, Noelle..."

"Mas chego assim que possível, prometo. Olha, tô sem bateria..."

"Ah, é? Ela tá sem bateria, Ian. Como? Ele falou pra você deixar o celular no modo avião pra economizar e pra gente desligar agora, melhor garantir..."

"Tudo bem. O cara do lado me deixou carregar no carro dele, tô aqui esperando. Mas não sei quanto de carga vou conseguir até andar..."

"Um desconhecido? Ah, meu Deus, toma cuidado."

"Não tem problema, mãe. Ele é legal. Estava estacionado aqui do lado. É um americano a caminho do aeroporto."

"Ah. *Ah. Entendi.* Tá bom. Tá. Ele... é da sua idade?"

"Hum, é, acho que sim..."

"É alto? Bonitão?"

"Eu... não sei. Acho que sim. É, acho que ele... acho que as pernas dele são compridas. Olha, mãe, tô aqui no meio da neve..."

"Bom, você sabe o que o Dilly disse sobre aquele americano que ele paquerou."

"Mãe..."

"Que ele era muito animado. Cheio de energia, em forma, você sabe. E não tinha vergonha. Também fez o café da manhã pelado, lembra? Panquecas. É o que eles comem. E não de sobremesa. No *café da manhã*."

"Bom, tenho que ir."

"Com *ovos mexidos*."

"Tchau, mãe. Chego assim que der."

É incrível quão rápido uma hora e meia passa quando se está tendo uma conversa assim — do tipo inesperadamente natural e que faz com que você se sinta como se as palavras não saíssem da boca rápido o bastante. Do tipo em que minutos logo se tornam horas, ao mesmo tempo que parecem fazer o mundo fora da sua bolha congelar. Um meteoro poderia cair, e você nem desviaria os olhos e perguntaria: *Sentiu isso? Um tremorzinho?*

Já faz mais de uma hora que meu celular voltou à vida, mas ainda estou no calor do banco do carro de Sam. *Ainda.* Nem eu consigo acreditar.

Quando estava com dez por cento de bateria, saí para falar com a minha mãe diante da porta aberta enquanto fechava o casaco, sem saber se devia agradecer e me despedir. Porque agora eu já tinha bateria o suficiente para fazer o que precisava: ligar para a minha mãe, combinar que Ian ficasse com ela e a ajudasse a ir para a cama. Mas eu queria desesperadamente retornar à conversa com Sam — os temas eram fantasmas, por alguma razão, e a melhor coisa que já tínhamos comido. Para ser sincera, eu estava me divertindo muito, o que era simples e totalmente inesperado (até fazia com que eu me sentisse um pouco culpada).

"Você pode, hã, carregar um pouco mais", Sam sugeriu, se inclinando no banco do motorista, com o cabelo esvoaçando na brisa leve, mas gelada. O cabelo dele é lindo. Volumoso, escuro e provavelmente com cheirinho de banho e coco. "Se quiser."

Assenti da estrada, com o celular na mão, aliviada pela oferta. "E ainda não terminamos as palavras cruzadas", brinquei.

Ele riu. "É, mas não sei se um dia vamos conseguir terminar."

Eu sentia um formigamento enquanto falava com a minha mãe, com a neve caindo sem parar, como se fosse durar para sempre. Suspirei aliviada quando soube que ela estava bem, e então senti aquele calorzinho de quem está se divertindo. Longe de casa. Com uma pessoa nova. Revirei o cérebro atrás da última vez que isso tinha acontecido, mas não consegui lembrar. Fazia anos. Com certeza. E acho que tinha esquecido como era a sensação de conhecer alguém, a emoção de não saber nada um do outro, e tudo o que se compartilha ser novo, interessante e capaz de expandir um pouco o próprio universo. Talvez a culpa também se devesse a isso, e não só à possibilidade de a minha mãe estar preocupada: o fato de fazer tanto tempo.

"Então, essa coisa meio doida de ser guia em escaladas", eu digo. Sam está virado para mim no banco do motorista, com as costas largas voltadas para a janela lateral. "Seu trabalho..."

"Meu trabalho."

"Te leva pra todo lugar? Você viaja muito pra cá e pra lá?"

Um alpinista. Sam é um alpinista de verdade.

Ele confirma com a cabeça. "Vou aonde precisar. Embora minha base seja o Oregon. Um lugar chamado monte Hood, você conhece? Eles têm esses programas, e eu fico de guia. Mas não sei quanto tempo isso vai durar."

"Monte Hood", repeti. "Falei como se eu conhecesse, né? Mas meu repertório de montanhas é... bom, é nulo, pra ser sincera."

Sam ri, e a covinha em forma de crescente volta a aparecer na bochecha. "Ah, é bem alto, neva muito, enfim, é uma montanha. O que mais é preciso saber?"

"Espera aí, então você escala montanhas *congeladas*?"

Sam abre um sorriso tímido e tamborila o dedo no volante, distraído. "Você vai me perguntar de novo se fico preocupado de estar perseguindo a morte?"

"Desculpa, mas você não me deixa escolha."

Minha alma sai do corpo e me observa do outro lado da janela. Tenho noventa por cento de certeza de que a Noelle

Butterby lá fora, pressionando o nariz contra o vidro, murmura baixo: *Que porra é essa?* Porque coisas assim não acontecem. Não de verdade, não na vida real. E, principalmente, não comigo. Com pessoas como Charlie, sim. Eu quase espero que esse tipo de coisa aconteça com ela. Antes da bebê, ela e o marido sempre saíam, se apegavam instantaneamente a amigos que faziam em retiros de ioga, voltavam para casa com histórias sobre as pessoas com quem tinham dividido o quarto, que curavam a própria enxaqueca com lavagem intestinal e o poder do perdão, e como tinham combinado de almoçar com elas no dia seguinte. Mas, eu? Isso não acontece comigo. Só para começar, ficar presa na neve? Na Inglaterra, mal estamos acostumados com chuva de granizo, quanto mais com essa neve que parece ter saído do clipe de "Last Christmas". No entanto, aqui estou eu, praticamente numa nevasca, sentada no carro de alguém que uma hora e meia atrás era um completo estranho, um cara qualquer num carro. E estou sentindo... *algo*. Não sei o quê, exatamente. Estou me sentindo viva. Vibrante. Como se meu sangue estivesse carregado de eletricidade. E eu nem queria entrar no carro. Achei que fosse ser muito desconfortável ficar sentada ali, parecendo uma boneca de cera meio derretida, com os olhos inchados e a maquiagem borrada, usando um vestido vermelho ridículo imitando cetim que normalmente eu nem pensaria em pôr. Uma peça que eu tinha escolhido do guarda-roupa da Charlie, porque parecia dizer "sou adulta e vivida" e "a aluna mais provável de ser bem-sucedida e feliz, com tudo sob controle, então no que você estava pensando, hein, Ed?".

Mas sentada aqui com Sam... não consigo nem explicar direito. Só sei que não quero ir embora. Penso em como seria se Charlie pudesse me ver agora. *Hã, desculpa*, ela diria.

Você é a Noelle Butterby? Esse é um macho não identificado? Você tá... puta merda, você tá se divertindo?

Sam se alonga no banco e pigarreia. "Acha que a sua mãe vai ficar bem?"

"Acho que sim. O Ian, um antigo vizinho que é nosso amigo, disse que vai ficar com ela. Ele costumava ajudar bastante no cuidado com a minha mãe antes de ir morar com a namorada. É a melhor pessoa pra dar conta do trabalho."

Sam assente, girando a caneta na mão. "Quanto tempo faz que ela tá doente?"

"Ela... não tá doente de verdade."

"Ah..."

"Bom, não, ela *tá* doente, mas... sei lá." Sinto um aperto no coração ao falar da minha mãe. Uma dose gelada de realidade a quilômetros de distância invade nossa bolha feliz. "É que parece que quando a gente fala 'doente' as pessoas pensam em hospital, remédios, ficar de cama e tudo mais, e minha mãe... ela não se encaixa nessa categoria. Teve um derrame há seis anos. E desde então não é mais a mesma."

Sam fica em silêncio, então diz: "Sinto muito".

"A gente deu sorte, na verdade, por ela ter se recuperado. Ainda tem alguma dificuldade de locomoção e no começo perdeu bastante da sensibilidade do lado esquerdo do corpo. Mas agora é mais uma questão de ter perdido a confiança. Não tô reclamando, porque é claro que tudo podia ser muito pior, mas... ela tem feito cada vez menos coisas, e eu tenho feito cada vez mais, e..." E aí acontece uma situação como a de agora, e fico me perguntando quanto tempo posso continuar desse jeito, no comando de um barco gigantesco que me sinto totalmente despreparada para guiar e que parece ficar cada vez maior e mais pesado. É o que eu quero dizer, mas não digo. "Mas ficamos bem. A maior parte do tempo."

Olho para Sam, a neve cai num ritmo estável do outro lado da janela atrás dele, como um fundo de tela dos anos 1990. Fico esperando pela testa franzida, pelos olhos arregalados, pelo julgamento e, mais do que tudo, pela pena que às vezes noto se espalhando pelo rosto das pessoas. Pena da minha mãe, claro, mas também de mim. Tenho trinta e dois anos. Preciso sempre me manter perto de casa. Meu mundo é do tamanho de um pontinho no céu, em comparação com o planeta gigantesco da maioria das pessoas. Sam apenas diz: "Parece bem difícil. Sempre ter que... carregar esse peso nos ombros".

Isso. Nunca ouvi ninguém definir a situação com essas palavras. "Às vezes é mesmo. Tipo hoje." Olho para o vestido de cetim e as manchas de neve secando lentamente, devolvendo ao tecido o tom original de vermelho. "É a primeira noite em dez meses que me programei para sair, certa de que chegaria em casa em determinado horário e..."

"E olha só como deu certo!" Sam sorri e estende os braços, como um mágico apresentando o truque final.

Dou risada. "Bom, poderia ser pior."

Sam me olha de lado. "É. Também acho."

O celular vibrando forte no compartimento debaixo do rádio interrompe a calmaria no carro. Ambos fazemos menção de pegá-lo, e minha mão e a de Sam se tocam. Sinto que efervesço por dentro e que o estômago borbulha, com o calor da pele dele em mim. Sam recolhe a mão e o aparelho cai aos meus pés. Só agora eu me dou conta de que não é o meu, claro. *Merda.* Entre minhas botas de cano baixo, vejo o nome "Jenna" na tela, e não conheço nenhuma Jenna.

Eu me inclino para pegá-lo. Sei que minhas bochechas devem estar vermelhas, porque minhas orelhas estão pegando fogo, como sempre acontece quando fico envergonhada.

Dilly diz que fico parecendo um lagostim quando isso acontece, e com certeza deve ser o caso agora. "Desculpa, achei que fosse o meu, pensei que fosse minha mãe..."

"Tudo bem, relaxa." Sam alcança o celular bem quando o nome de Jenna é substituído por um retangulozinho cinza de chamada perdida.

"E agora você perdeu a ligação. Desculpa."

"Não tem problema mesmo. É só uma ligação", mas algo mudou naqueles olhos castanho-escuros, ainda que eu não saiba dizer o quê. Talvez tenha sido a vez dele de receber um choque de realidade na forma de um telefonema. Sam dispensa a notificação com o dedão. "A vida era mais fácil quando a gente não estava sempre tão disponível e não era tão fácil ser interrompido, não acha?"

"Como assim? Quando a gente só trocava cartas?"

Sam assente. "Sei que ninguém faz isso hoje, mas é tentador. Não tem aquela pressão de responder *no mesmo instante*, sabe?"

"Algumas pessoas ainda fazem isso. O Steve e a Candice faziam."

Sam franze a testa e olha para mim. "Quem?"

"Duas pessoas que trabalham num escritório onde eu faço a faxina. Sou faxineira, aliás. Limpo casas, escritórios. Não é exatamente glamoroso, mas dá certo com a questão da minha mãe e..." Não sei bem se tagarelar vai ajudar com o constrangimento, mas é óbvio que vou tentar. Porque minha tentativa de pegar o celular dele, a gente se tocando, Sam afastando a mão como se tivesse encostado em cocô — tudo isso tinha feito o termômetro de climão disparar de zero a um sólido sete, e de repente tudo voltou a parecer um pouco ridículo. Eu. Neste carro. Com ele. "Bom, esses dois funcionários, o Steve e a Candice, estavam tendo um caso.

Toda sexta à noite eu encontrava no lixo os bilhetinhos que eles trocavam em *post-its*."

"E o que diziam?", pergunta Sam, com a sombra tímida de um sorriso no rosto.

"Eram sempre sobre chá. Tipo: *Chá às três, Steve?* Ou: *Candice, seu chá estava fervendo.* Uma vez encontrei um mais direto, apenas: *Adoro seus peitos.*

Sam ri. "Nossa."

Dou risada também. "Pois é."

"Tá vendo? Talvez você e o seu amigo de Portland não tivessem perdido o contato se fossem mais como o Steve e a Candice."

"Assim eu acabaria sendo expulsa da escola."

O celular de Sam volta a vibrar, cortando o silêncio no carro. Ele baixa os olhos castanhos para a tela.

"Ah. Acho que preciso atender..."

"Vou te deixar atender. Fora que..." Pego meu celular. "Já carregou oitenta por cento. É melhor eu parar de consumir a bateria do carro e te deixar em paz."

Sam hesita, com Jenna em uma mão e a maçaneta da porta do motorista na outra. Não sei o que quero que ele diga, mas sei que não quero ir embora. Não de verdade. Nem um pouco. "Não, eu... digo, você não precisa... parece besteira não terminar de carregar se..."

"Eu... vou te deixar à vontade", abro a porta. "Preciso... ligar pra casa, na verdade."

Sam só assente, mudo.

Saio do carro e o ouço falar ao telefone com uma voz diferente, mais grave e doce: "Oi!".

34

5

"Tô ficando maluca, Charlie. É melhor voltar pro meu carro, não é? Tipo... isso não é normal."

"Você se entrosou com um desconhecido, Noelle. Tá carregando o celular, presa numa nevasca. Não tá chupando o pau do cara enquanto a namorada dele filma, que aliás é algo que as pessoas sempre fazem no estacionamento do Alston Park depois da meia-noite, e nem por isso acham que estão ficando malucas. Só estão se divertindo."

"Tá."

"Você quer voltar pro carro dele?"

"*Quero*. Mas não sei se ele quer, talvez eu esteja abusando da gentileza dele, fora que é tudo muito esquisito, tipo..."

"Você disse que foi ele quem ofereceu o carregador."

"E foi."

"Isso só prova... Espera, o Theo tá falando alguma coisa. *Ah. Interessante*. Ele acha que você só me ligou porque o seu subconsciente quer que a bateria acabe, pra você ter que voltar pro carro do americano gato e divertido."

"Talvez eu tenha te ligado pra você me dizer que eu não deveria entrar no carro de um desconhecido. Que cometi um erro de julgamento, depois de uma noite esquisita e emotiva, com o Ed e a câmera da Daisy, que não tô raciocinando direito e..."

"Eu não faria isso de jeito nenhum, Elle. Desculpa, mas gosto da ideia de você estar se divertindo com um cara legal. Quando foi a última vez, hein? Você não quis nem conhecer o Jet."

"Jet?"

"*Você sabe quem é.* O cara que ficou amigo do Theo no retiro de reiki, aquele que tinha um corpão..."

"Lembro vagamente."

"E você também não quis sair com a gente e com o Simon, o podólogo, e olha que o cara cuida dos meus pés há oito anos e meio, Noelle..."

"Tá. Então você acha que devo ficar? Tipo, essa Jenna pode ser..."

"Fica no carro."

"Ele é muito legal, Charlie. Sinto como se... não sei. Como se tivessem injetado alguma droga nas minhas veias. Ele tocou a minha mão sem querer e..."

"Saiu faísca."

"É. *Isso.*"

"Ah, meu Deus, você vai casar com ele."

"Charlie, não seja ridícula..."

"O Theo disse que daria qualquer coisa pra poder ler a sua aura agora."

"Fala pra ele que eu já li e a minha aura tá se cagando de medo."

"Fica no carro, Noelle."

"Tá, tá. Vou ficar."

"Talvez você esteja pronta pro Jet depois disso."

"Acho que nunca vou estar pronta pro Jet."

"Que pena. O Theo disse que o cara dá aula de sexo oral

feminino. Eles praticam com laranjas. Às vezes com melões. Noelle? Elle, você ainda tá aí?"

Depois que Daisy morreu, levei nove meses para suportar olhar para uma estrada e não era capaz de dirigir em uma. Estradas eram barulhentas, rápidas e imprevisíveis. Nelas, as coisas podiam degringolar na fração de segundo que se leva para cometer um erro bobo. A estrada tinha levado minha melhor amiga. E deveria ter me levado também. Mas hoje, olhando para a estrada vasta, longa, imóvel, coberta de neve, ladeada por árvores, cheia de gente e com fileiras de carros com o interior iluminado, como casas à distância na noite, o medo que ainda carrego comigo chia baixo, como fogos de artifício no fim. A pista em que Sam e eu estamos é só asfalto. É só concreto, neve, árvores e gente tentando ir para casa.

"Não acredito que o seu guarda-chuva tem *orelhas*", Sam diz.

"Orelhas sempre dão um charme a mais, todo mundo sabe disso."

"É mesmo?"

"Claro. Foi provado cientificamente."

Sam e eu estamos atrás de um caminhão com a porta aberta, de onde sai uma luz amarelada. Estamos embaixo do meu guarda-chuva, que foi presente de Natal de Dilly e tem a cara de um coala por nenhum motivo em especial. Sam o segura no alto para nós dois, e as orelhas do coala tremulam com o vento gelado. Ele é mesmo alto. Deve ter um metro e noventa, talvez um e noventa e cinco. Minha mãe ia adorar. *Não aguento os baixinhos*, ela sempre diz, como se falasse sobre uma infestação de ratos no telhado. *São umas coisinhas odiosas. Mal-intencionadas.*

Depois de falar com Charlie, saí para procurar um arbusto para fazer xixi, o que foi tão animador quanto seria de esperar. No caminho de volta, dois policiais me disseram que equipes de controle de crise estavam chegando e que um pouco mais à frente tinha um caminhão distribuindo comida e água grátis para os motoristas. Com o helicóptero circulando no céu escuro, concluí que eu estava de fato presa, e que aquilo tudo era muito sério e real. *Tráfego impedido. Comida e água grátis. Equipes de controle de crise.* Para nós. Para mim e para Sam, para as centenas de pessoas como nós presas ali, na estrada. Atualizei Ian, de repente com a boca seca de ansiedade. Confiável como sempre, ele respondeu na hora, com uma mistura de mensagem de celular e avaliação do Tripadvisor. Sorri tranquila ao pensar nele e na minha mãe seguros e quentinhos em casa.

Está tudo bem aqui. Ouvindo as últimas notícias do trânsito. Boa cobertura. Radialista gente boa. Do País de Gales. Se mantenha aquecida.

Quando voltei para o carro, Sam já tinha desligado.

Comida, murmurei do outro lado da janela fechada, e ele baixou o vidro. "Mais pra frente, pelo que parece. Tem um caminhão. Posso ir buscar. Quer?"

Sam abriu a porta. "Vou pegar o casaco. Comida de caminhão..."

Conversamos enquanto andávamos pela estrada mortos de fome, desviando dos motoristas e das portas abertas dos carros, brincando de adivinhar o que receberíamos. "Tortinhas de carne com batata", eu disse.

"Nunca comi. Acho que vou pegar ostras."

"*Ostras?* Aí eu que nunca comi, mas eca!"

"Como você pode ter uma opinião se nunca experimentou?"

"Podendo. Acho que eu ia acabar tendo algum tipo de reação alérgica. A gente ouve falar dessas coisas o tempo todo. A pessoa come uma ostrinha e pronto, o rosto incha na hora." Sam riu, e o hálito evaporou. Ele é um homem fino, como minha mãe diria. Está de casaco preto todo abotoado, com exceção do primeiro botão, e um cachecol cinza enrolado na altura do pescoço. *Muito chique*, ela diria. *Tem ombros largos. E costas retas e fortes.* Aposto que Jenna acha o mesmo, quem quer que ela seja. Ainda não esclarecemos isso, e por que deveríamos? Ele mal me conhece. Sou só uma mulher na estrada que assoa o nariz em paninhos de microfibra e agarrou o celular dele como se fosse uma boia salva-vidas. Mas tem algo indistinguível no ar. Vivo, pulsante, elétrico. Uma faísca, como Charlie diria, e é isso que me faz querer perguntar. Quero que a sensação passe e, ao mesmo tempo, que permaneça.

"Queijo?"

Uma mulher vestindo um colete fosforescente sorri para nós de dentro do caminhão, oferecendo sanduíches em triângulos de papelão. Ela me entrega dois, seguidos por duas garrafas de água, e eu dou um jeito de segurar tudo.

"Obrigado", dizemos. Um homem passa na nossa frente na fila e pergunta:

"Tem alguma coisa sem glúten?"

Vamos embora, mas ouvimos a mulher repetir "Queijo?", como se fosse uma boneca capaz de pronunciar uma única palavra. *Queijo?*

Sam e eu nos olhamos na mesmíssima hora, e o sorriso dele me faz sentir um friozinho na barriga.

Voltamos para o carro pelo acostamento, onde a neve está mais alta, só que é menos escorregadia, sem as marcas de pés e de pneus. Árvores jovens e de tronco fino ladeiam a estrada, a neve se equilibra nos galhos magros parecendo açúcar de confeiteiro. Andamos juntos, os sapatos esmagando a neve, o silêncio quase excessivo, como sempre acontece quando neva. Os ruídos parecem todos abafados, ainda que contínuos, com a neve funcionando como uma proteção acústica natural.

Sam olha para mim no mesmo instante em que eu olho para ele, com o guarda-chuva de coala sobre nossas cabeças, os sanduíches e as águas ainda nos meus braços. Eu percebo de imediato. *Isto.* A estrada. A neve. Eu e Sam. O fato de que poderia ser qualquer pessoa e eu não o conheço. O fato de que, de alguma maneira, e não sei mesmo como, ele não me parece um desconhecido.

"O que foi?", Sam pergunta, tranquilo. Mesmo considerando o pouco tempo que passamos juntos, é fácil entender como Sam faz o que faz. Imagino que seja disso que a pessoa precise caso um dia se veja pendurada em uma montanha, com a vida em risco. De alguém calmo e constante. Do tipo que se sairia bem diante do apocalipse.

"Nada", balanço a cabeça, o que não impede minhas bochechas de corarem. *Você tá parecendo um lagostim*, ouço a voz de Dilly na minha mente. *Sério, Elle, você tá vermelha que nem um lagostim. Resolve isso.* "Não sei", continuo falando. "É que... não consigo acreditar que isso esteja acontecendo. É tudo um pouco... bom, é meio maluco, não acha?"

"O quê? A neve? Andar pela estrada?"

"Pois é, andar pela estrada. Tudo isso."

Sam passa a mão na barba por fazer. "É. Acho que sim."

Fora isso, tenho vontade de dizer: *andar com você, um desconhecido que mora a milhares de quilômetros de distância e que há poucas horas estava a caminho do aeroporto enquanto eu ia pra casa depois de uma noite que deu incrivelmente errado.* A carta de Daisy. A câmera perdida. *Ed.* No entanto, se tivesse dado incrivelmente *certo*, se não tivesse nevado, se meu celular não tivesse morrido, Sam e eu nunca teríamos nos conhecido. Eu não estaria bem aqui.

"É quase bonito, não acha?", tento mudar de assunto. "As árvores, a neve..."

"*Quase*", Sam concorda. "Ou isso ou você sofre de síndrome de Estocolmo ou coisa do tipo."

"Pode ser. Mas olha só desse ângulo aqui." Me viro de costas para ele, o rio de carros engarrafados, a multidão de motoristas, alguns dentro dos veículos, outros fora. "Se a gente caminhar olhando pra cá, só as árvores e a neve..." Vejo Sam por cima do ombro. Uma orelha do coala sacode ao vento, como se acenasse. "Poderíamos estar em qualquer lugar."

Sam faz uma careta. "Hum... então tá."

"Você não se convenceu."

Ele ri, e os cantos dos olhos dele se enrugam.

"Você não sabe o que tá perdendo, Sam. Usa um pouco a imaginação."

Sam não diz nada por um momento. Ele faz bastante isso, já notei. É como se organizasse as frases na cabeça antes de expressá-las em voz alta, em vez de simplesmente sair disparando, como um armário de cozinha desarrumado cuja porta é aberta de repente. "Acho que, com boa vontade, a gente poderia estar num parque", ele diz. "Ou... num bosque meio depenado."

"A gente poderia estar na Islândia."

"Ou no Quebec. Você já foi pro Quebec?"

Faço que não com a cabeça e continuo andando. "Não. Nunca fui pra nenhum lugar assim, na verdade. Mas adoraria."

"Então pronto!" Olho para Sam por cima do ombro. Ele

também está de lado e sorri, entretido, como um professor relutante que finalmente acha graça da piada boba do aluno. "Aqui estamos. Nas neves do Quebec. Uau. É igualzinho aos folhetos de viagem."

"Viu? É só ignorar o barulho dos carros..."

"É, e os rádios da polícia, o helicóptero e... isso é..." Sam faz uma pausa, e eu acompanho. "Isso é um *banjo*?"

"Recebi confirmação de fontes confiáveis de que com certeza é um banjo."

"Então tá." Sam ri, e voltamos a andar, ainda sem olhar para a estrada. Pensar no que os outros motoristas devem estar achando de nós me faz sorrir, sinto as bochechas coradas, o corpo formigando.

"Podemos fingir que é um músico tocando nesse parque do Quebec", sugiro. "Você acabou de deixar umas moedas no estojo do banjo, porque os americanos sempre dão gorjeta, enquanto nós, britânicos, morremos de medo. Nunca sabemos se demos demais ou de menos..."

"Estamos de férias", Sam diz, como se fosse um fato. "Viajando pelo mundo. Planejamos por meses... não, anos. Você imprimiu o roteiro."

"Ah, é?"

"Acho que sim."

"Gosto mesmo de roteiros."

"Estamos no Quebec com jet lag", Sam continua. "Com um músico e o nosso roteiro."

"Não estamos de jeito nenhum no acostamento da rodovia com sanduíches de queijo."

"Andando meio de lado", diz Sam.

"Com um desconhecido", acrescento. Quando olho por cima do ombro de novo, Sam está me encarando e dá de ombros.

"Não sei", ele diz, devagar. "Ainda somos desconhecidos?"

Então ouvimos um baque forte e um grito atrás de nós. Sam se vira mais rápido do que eu. Vejo uma mulher no chão congelado, caída contra um para-choque, com a mão na cabeça e um único fio de sangue escorrendo pelo rosto, como num tutorial de maquiagem para o Halloween. Sam sai correndo com meu guarda-chuva de coala na mão.

6

A queda é brusca. Meu coração dá um mergulho para o fundo do estômago. Percebo quando ele aterrissa, como uma pedra, em sincronia com a batida de uma porta pesada de carro sendo fechada por fora. Sam já está dois carros à frente, agachado diante da porta aberta do carro da mulher, com um policial de pé ao seu lado. A boca cor-de-rosa dele se move sorridente enquanto conversa, mas os olhos estão focados enquanto ele faz um curativo. A mulher escorregou no gelo e bateu a cabeça no próprio para-choque. O policial chegou junto com ele, mas Sam explicou que era treinado em primeiros socorros, porque precisava fazer curativos o tempo todo no trabalho. Quando eu me aproximei, me sentindo totalmente inútil, Sam abriu um sorrisinho. Sem tirar a mão da cabeça dela, ele me passou o guarda-chuva. Depois fomos até o carro dele pegar uma mochila no porta-malas, e eu disse que ia esperá-lo lá dentro. É onde estou agora. Com o coala triste e molhado no chão do veículo alugado e as garrafas de água amassadas, mas ainda fechadas, que eu derrubei como uma idiota quando Sam saiu correndo. Eu o vejo agora, através do para-brisa, todo alto, sensato, bonito, forte e familiar, concentrado e com os lábios entreabertos, a neve ainda caindo. Então ouço uma voz crítica e direta na minha mente, como uma atriz depois de ouvir sua deixa: *O que você tá fazendo? Acha que isso é uma brincadeira ou um conto de fadas? Não é um filme, Noelle, é a vida real. A sua vida. Isso não vai levar a lugar nenhum. De jeito nenhum, de forma alguma. Porque Sam vai pegar um avião e voltar à vida dele, e você vai dirigir até em casa e voltar à sua. Levison Drive, sua mãe, sua rotina, seu trabalho, e ponto final. Porque vocês dois nem se conhecem. Você não o conhece, e ele não conhece você.* Balanço a cabeça na escuridão do carro, como uma criança repreendida, puxando o cobertor pesado até o queixo. Um homem da equipe de controle de crise, paramentado como um esquiador, me entregou dois, além de uma bolsa térmica cheia de bolachinhas e duas garrafas de suco de laranja alguns minutos atrás, pela porta do passageiro, depois se juntou aos policiais e a Sam para oferecer lanchinhos como ajuda.

O celular de Sam vibra no compartimento — talvez outra tentativa do universo de me trazer de volta à realidade. Com certeza é uma mensagem de Jenna, uma mulher perfeita, de pernas compridas e com luzes no cabelo, embora eu não consiga ver nada. Então meu próprio celular vibra. É uma mensagem da companhia de gás, pedindo que eu envie a leitura do relógio. Um lembrete de que a vida normal está esperando por ele e por mim, e esta situação estranha na estrada, presos na neve com bolachinhas, é só um intervalinho. Uma mera pausa.

Depois de um tempo, Sam abre a porta e entra.

"Nossa, que frio!" Ele sopra as mãos e olha para mim. "Você tá bem?"

Faço que sim com a cabeça. "Tô. E a mulher?"

"Também. Nova em folha. E a amiga dela vai assumir o volante, então não tem perigo." Sam estende a mão para ligar o rádio.

"É legal que você saiba o que fazer. E seja assim corajoso."

Sam dá risada. "Nem tanto. Mas admito que gosto de estar sempre preparado pro pior. Agora que eu disse isso em voz alta parece mórbido pra caralho, mas não sei. A gente nunca tem certeza do que nos espera na esquina, né?" Então ele olha para mim, com uma sobrancelha ligeiramente erguida. "Tô ouvindo as suas engrenagens funcionando."

"Quê?"

"É o que minha mãe costuma dizer. E que os pensamentos dos outros a mantêm acordada."

"Ah."

"Você tá preocupada? Com combustível, comida, estar presa aqui? Ou foi o sangue?"

"Não. Bom, acho que sim. Talvez. Tô preocupada, sim. Mas fico tentando não pensar nisso. É a minha tática na maior parte do tempo."

"Vamos ficar bem, Noelle Não Gallagher", Sam diz, com um sorriso, e imagino como deve ser subir uma montanha com ele, o que é ridículo, considerando que o mais perto que cheguei disso foi subir os degraus da estação de Covent Garden, sendo que no meio do caminho entrei em pânico e pedi para um coitado qualquer com uma maleta que chamasse ajuda, porque eu estava tendo um ataque do coração (ele não chamou). Mas aposto que não seria assim se Sam estivesse comigo. Ele bancaria o herói inabalável, tipo: *Tem pumas aqui, mas se me seguirem vamos sair vivos dessa. Só preciso tirar a camisa antes.*

"Aliás, a neve já tá diminuindo", ele continua. "O policial disse que não vai demorar muito."

"Ah. Bom. Legal."

Ele franze a testa ligeiramente, por baixo do cabelo escuro e macio. "Você parece decepcionada."

Olho para ele. "Afe, não dá."

"O quê?"

Não posso te dizer que não quero ir embora, Sam, é o que eu gostaria de responder. Não posso te dizer que mal te conheço e não quero sair deste carro, ainda que não consiga explicar o motivo de maneira clara, concisa e coerente.

"Nada." Deixo escapar um gemido e escondo o rosto já queimando, como se estivesse coberto por uma máscara de argila vulcânica fervente. Ouço Sam rir.

"Fala o que foi."

Olho para ele por entre os dedos.

"Tô me divertindo muito", digo e as palavras saem abafadas pelas minhas mãos. "Com você. Aqui."

Sam pressiona os lábios, como se segurasse um sorriso. "Tá, e isso... é ruim?"

"*Não.* Não." Dou risada, com as bochechas tão quentes quanto um bife na chapa. "É só que... isso tudo é tão esquisito. Tipo, estamos presos!"

"E?"

"E... não temos nenhuma comida além desses sanduíches e bolachinhas, fiz xixi atrás da placa do Burger King no mato, você fez um curativo numa mulher que *estava sangrando.* Seria de imaginar que quisesse mais que tudo voltar pra casa, com normalidade, segurança, calor, mas... não quero ir pra casa." Solto as mãos no colo. "Pronto, falei."

Sam fica me observando em silêncio, depois olha pelo para-brisa, como se refletisse. Finalmente, ele olha para mim e diz: "Ajuda se eu disser que sinto o mesmo?".

Sorrio. "Ajuda. Bom, talvez a gente possa simplesmente ficar aqui."

"Construir uma cabana no Quebec. Feita de gravetos. E banjos velhos."

"Combinado."

Sam ri e não diz mais nada.

Quero perguntar sobre Jenna. Sobre uma possível esposa ou namorada. Sobre quem o espera em casa, e se ele sente o que eu sinto. Essa atração. A sensação de que... *existe algo*. Mas não faço isso, porque não posso. Não quero estragar esta noite perfeita. Inesperada e estranhamente perfeita.

Meus olhos param no relógio no painel — duas da manhã. "Meu Deus. Nem dá pra acreditar que eu deveria ter passado a noite numa festa."

Sam boceja e dá uma risadinha. "Uma festa?"

"Pois é." Não é mentira. O reencontro deveria ser meio que uma festa, com cerveja, música, comida e conversas com velhos amigos. Mas se eu dissesse que era um reencontro do pessoal da escola, se eu falasse sobre a cápsula do tempo, em voz alta, para Sam, sei que me sentiria obrigada a contar mais. E abrir mão disso é muito fácil pra mim. Sou aquele armário de cozinha entulhado, as palavras simplesmente saem de uma vez e preenchem o silêncio. Mas perder Daisy e quase perder a mim mesma... é algo que prefiro guardar pra mim. Tanto que às vezes acho que isso está escondido em um buraco pequeno e escuro dentro de mim há quinze anos. "É, estava tudo programado", continuo falando. "Eu ia esbarrar num ex, mostrar que estava ótima e provar que ele tinha feito a escolha errada. Uma parte minha meio idiota também achou que a chama poderia reacender. Que... sei lá, *estivesse escrito*. Que o Ed ia voltar depois de dois anos e... Ele é médico. Especialista em reumatologia pediátrica. E se mudou por causa do trabalho."

Sam só presta atenção.

"Mas ele me ignorou. Me viu e fingiu que não. Depois vim parar aqui."

Sam olha pelo para-brisa, e as palavras se ordenam metodicamente na mente dele. "Escalei com um grupo de médicos no ano passado. Podem ser inteligentes, nobres e tudo mais, só que fazem coisas bem idiotas nas montanhas, pela minha experiência. Se machucam, deixam objetos importantes pra trás, quase morrem tentando tirar a foto perfeita pro Instagram. Eu estava louco pra empurrar um deles lá do alto. E dizer à polícia que o cara estava usando os sapatos errados ou coisa do tipo."

Dou risada. Uma risada calorosa, apesar de o meu estômago estar se revirando.

"Talvez isso se aplique a festas também", ele diz, olhando para mim. "Ignorar você é um negócio bem idiota."

Um calor se espalha pela minha pele, como se de repente o sol tivesse saído.

"Sério. Esse Ed deve ter merda na cabeça", Sam diz categoricamente. "Não que você esteja interessada na minha opinião."

"Tô, sim."

7

Sou acordada de repente por uma mão quente no meu ombro e não me lembro de nada por um momento. Continua escuro lá fora, mas parou de nevar. As luzes brancas e fortes das centenas de faróis dão a sensação de que alguém acendeu todos os holofotes e o show acabou.

"Desculpa", Sam diz. "A estrada vai reabrir. A polícia acabou de avisar."

"Nossa, eu... peguei no sono?"

"Dormiu tipo uma hora."

"E você?"

Sam está pálido e com o cabelo escuro bagunçado, como se tivesse dormido mesmo. "Acho que tirei uma soneca."

Eu me endireito no banco, tirando o cabelo do rosto. Sam já dobrou o cobertor dele em um retângulo e o apoiou no descanso de braço. Faço o mesmo, dobrando o meu e apoiando uma mão em cima. A estranheza da situação me atinge em cheio, como um tapa na cara. Apaguei no carro de um desconhecido. Dormi enrolada no cobertor de outro desconhecido. Comi bolachinhas de um homem usando máscara de esqui na estrada. Faz quase *doze horas* que saí de casa. Se eu subitamente descobrisse que foi tudo um sonho, acreditaria na hora. Faria mais sentido.

"O que acha que devemos fazer com isso? Com os cobertores?"

Sam dá de ombros e passa as mãos pelo cabelo ondulado. "Doar? Guardar?"

"Posso ficar com eles. Você não vai querer carregar no aeroporto, né? Aliás, você ainda vai direto pro aeroporto?"

"Vou", Sam diz, apenas.

Existe algo estranho entre nós, mas não sei o quê. Talvez seja o fato de ser cedo e eu ter dormido, mas de repente o carro parece frio e minha pele está toda arrepiada. O calor e o aconchego fáceis se foram, e tudo parece um pouco sério, até constrangedor. Como quando as luzes se acendem no fim do filme e você se sente vulnerável no cinema, preocupada com que cara está aos olhos dos desconhecidos rumo à saída, e com frio por causa do ar-condicionado, no que parece ser o início inevitável de uma ressaca pós-divertimento. Apesar de tudo, eu ainda queria que fosse ontem à noite. Oito horas. Se passaram apenas oito horinhas. E já sinto falta delas. É ridículo. Eu sou *ridícula*.

Sam se ajeita no banco, se espreguiçando. Então relaxa e olha para mim. O carro está em um silêncio mortal. O rádio, desligado. Sem sinal da voz de outros motoristas, nem do rádio deles. Não ouvimos nem o zumbido tranquilizante do aquecedor.

"Acho que é melhor eu ir", digo.

Sam confirma com a cabeça, relutante. Começo a recolher minhas coisas: os cobertores, a bolsa, o guarda-chuva de coala, o cachecol...

"Quer ajuda? Posso te acompanhar." Ele dá um sorrisinho com as últimas palavras. A bexiga de tensão prestes a explodir parece esvaziar um pouco, e respirar fica mais fácil.

"Se não se importar..."

Sam e eu saímos do carro, com o zíper e os botões do casaco fechados até em cima. Está um frio de rachar aqui fora, e o asfalto brilha como vidro estilhaçado, por causa do sal que a equipe de controle de crise deve ter jogado. Sam segura os objetos enquanto eu tento abrir o carro.

"Por que não..." Eu me enrolo com a chave. "Afe, essa porcaria costuma trancar a gente do lado de dentro, e não fora..."

"Deixa eu tentar."

Sam me passa minhas coisas e enfia a chave na fechadura. Fico observando os dentes dele roçando os lábios cor-de-rosa, a franja caindo nos olhos. Quero que a gente mantenha contato. Quero abraçá-lo. Meu Deus do céu, o que estou pensando?

"Pronto." Sam se endireita e consegue abrir a porta. Olho para ele, segurando os resquícios da nossa noite juntos.

"Obrigada."

Ele assente uma única vez.

"E obrigada pelo carregador. E pela companhia. E... por tudo."

Sam sorri, revelando a covinha. "Digo o mesmo." Os lábios dele se entreabrem, e eu acho que vai falar alguma coisa, mas ele não fala. *Vamos, pede meu número de telefone. Meu e-mail, meu Instagram. Qualquer coisa.* Podemos ficar amigos. Podemos manter contato e trocar novidades. Seria como uma segunda chance de ter um amigo por correspondência cm Portland. Tudo bem que Sam mora no Oregon e visita a família "de vez em nunca", como ele disse, mas não podemos deixar as coisas por isso mesmo, não é?

"É melhor a gente ir", Sam diz, quando o motor do carro de trás ganha vida.

"É... Tá. Certo." Sorrio. É uma tentativa de sorriso, falso

e sem graça, mas acho que ele aceita e nem percebe minha decepção. Então vai embora, enquanto eu fico diante da porta aberta, os motoristas dando a partida à minha volta, os cobertores e meus pertences nos braços, como se fosse 1999 e eu tivesse ido dormir fora de casa. De repente Sam para e se vira, com os sapatos fazendo barulho no gelo.

"Noelle?"

Meu coração parece flutuar dentro do peito.

"Oi?"

"Dirija com cuidado."

É a última coisa que Sam me diz.

Volto para o carro, largo a pilha de porcarias no banco do passageiro, dou a partida, o carro começa a cheirar a poeira e queimado, por causa do aquecedor antigo, e ligo o rádio. Ainda estou à espera. De que ele saia do próprio carro, peça que eu baixe o vidro e me dê o número de telefone, rabiscado no papel das palavras cruzadas. Mas isso não acontece. E, embora eu queira pedir o dele, algo dentro de mim me diz para não fazer isso. Qual seria o sentido de manter contato? Com todos os quilômetros que nos separam? Seria outra pessoa de quem ter saudade. Sam provavelmente conhece um monte de gente. Esse jeito amigável e gentil deve ser parte do trabalho, o motivo pelo qual as pessoas o recomendam. *Ah, você precisa ir com o Sam*, elas devem dizer. *Ele é legal, calmo e muito gente boa. Fora que se você curte braços fortes capazes de lutar com um puma e te jogar por cima do ombro nu sem nenhum motivo, ele definitivamente é o cara certo...*

O trânsito começa a andar, e Sam e eu ficamos lado a lado por um tempo. Eu no meu carro, ele no dele, o carro alugado que Sam logo vai deixar estacionado e esquecido no aeroporto, em meio a uma frota de outros iguais. Olho algumas vezes, avaliando o rosto dele através do vidro — a linha reta do nariz, a barba por fazer, as ruguinhas em volta dos olhos castanhos. Guardo tudo na memória.

A estrada fica livre, o tráfego acelera e eu fico admirando Sam até o veículo se tornar um pontinho à distância e, como aquelas oito horas perfeitas, sumir.

8

CINCO SEMANAS DEPOIS

Charlie bate duas vezes no balcão de madeira, como uma bêbada impaciente em um bar. "Ei, meu bem! Como estão indo os tomates?" Então se vira para mim, com olhos sonhadores e delineado rosa-choque. "Juro por Deus, Noelle, esses tomates... Comi semana passada. Mudaram minha vida, literalmente. Algo... *se abriu* dentro de mim. Frutas e legumes podem fazer isso com a gente."

"É mesmo?"

"Alguns. Com os aspargos certos..." Charlie dá uma piscadinha. "Acredita em mim." Eu acreditaria se tivesse ideia do que ela estava falando.

Charlie se debruça no balcão e vira o pescoço para ver os fundos do lugar. "Theo?", ela grita. "Ei!" Theo não responde. Um cliente enchendo uma garrafa de vidro com um azeite bem espesso está olhando para a gente sem piscar, como um professor nos censurando. Fico louca para rir.

Adoro quartas-feiras. Sei que algumas pessoas acham que rotina é algo sufocante, monótono ou chato. *Você é um robô, Elle,* Dilly diria. Mas... não sei. Com uma rotina, sabemos o que virá. Com uma rotina, temos o que aguardar. Toda quarta-feira é igual. Ian aparece para tomar café com a minha mãe, o que significa que posso acordar e sair cedo, quando só tem eu e algumas pessoas passeando com cachorros na rua, com o brilho do sol saindo, ao som dos pássaros e dos meus próprios passos. Passo no mercadinho caro, compro flores do dia anterior por centavos e o que tiver de melhor (hoje são dois buquês de astromélias rosa--claras). Passo no apartamento de Adly — um banqueiro londrino para quem faço limpeza a cada duas semanas e que mal usa seu estúdio sem graça —, depois vou limpar a casa de dois quartos em que minha amiga Charlie mora com o marido Theo, e que fica em cima do Buff, a mercearia e delicatéssen que não usa plástico da qual eles são os donos. A casa dos dois é o exato oposto da casa de Adly. Cheia de tapetes, almofadas e artefatos de madeira esquisitos. Depois de limpar e analisar aquelas peças toda semana ao longo de dois anos, tenho certeza de que a maioria são esculturas de genitais. Limpo e organizo o lugar, ponho flores nas janelas, e Charlie aparece ao meio-dia, no intervalo do trabalho dela, para almoçar alguma coisa orgânica que vai "abrir o seu terceiro olho por um momento". Então, como estamos fazendo agora, conversamos em pé no piso de madeira brilhante da mercearia, enquanto Theo tem que se virar entre o depósito e o atendimento aos clientes, na maior parte do tempo carregando Petal, a bebê de três meses deles, em um *sling*, as mãozinhas dela sempre cerradas em punho. Não acontece nada de mais às quartas-feiras. São dias simples, mas nos quais posso confiar — sinais discretos de que sobrevivi a mais uma semana, um lembrete de que tenho sorte. Fora que Theo e Charlie são duas das pessoas mais felizes que conheço, e essa felicidade acaba impregnando os outros, como perfume.

"Tá." Theo aparece do outro lado do balcão, com a babá eletrônica numa mão e a marmita verde-limão de Charlie na outra. Hoje está sem Petal e sem o *sling* que ele mesmo fez usando uma capa de edredom antiga. "Agora acabou, amor."

"Meu rei", Charlie leva a mão ao peito.

"Minha rainha", ele responde, com sua barba cheia e castanha, e se inclina para ajeitar a faixa de cabelo dela e beijar a ponta do seu nariz. Charlie e Theo são um casal apaixonado — que demonstra em público um tipo de amor acalorado que em geral me faria querer morrer. Mas cai bem neles, com um jeitinho totalmente desencanado, pouco convencional e, vamos admitir, às vezes simplesmente bizarro.

"Petal tá tirando outra soneca." Ele olha a babá eletrônica, a cabecinha da bebê é uma bola fofa na tela escura. "Acho que a massagem ajudou."

Charlie sorri. "Você é o pai perfeito. Eu costumava pensar que era o Peter Andre. Mas, sinceramente, você acaba com ele."

Theo dá risada. "Quer ir dar um beijinho nela?"

"Melhor não", Charlie diz, olhando para o monitor no balcão. "Ela parece bem, tenho medo de acordá-la. E a próxima sessão é em dez minutos."

"Ah." Theo faz que sim com a cabeça e enfia as mãos no bolso quadrado do avental. "Bom, pode continuar falando pra todos aqueles músicos esquisitões que frequentam o estúdio virem almoçar aqui. Uma banda de rock inteira veio semana passada, Noelle. Me deixaram sem nada. Canadenses. Adoraram o quiabo."

Dou risada. "Achei que estrelas do rock cheirassem cocaína sobre bundas peladas e atirassem TVs nos outros, e não que adorassem *legumes*."

"Hum", Charlie diz, assentindo, com um tomate bem vermelho nos dedos e as unhas curtas pintadas de um rosa-alaranjado. "Certeza que eles fazem isso também. O cantor é um devasso total de cara amassada, mas..." Ela dá de ombros. "O que posso dizer? Os caras dão valor a um bom legume. E uma vez eles postaram uma tatuagem no Instagram e eu ganhei, tipo, cinco mil seguidores da noite pro dia. Uns babacas. Mas muito úteis. Enfim..." Ela fecha a marmita e vira a cabeça para mim. "Você me acompanha até o trabalho, Noelle?"

O sininho da porta toca, como uma bicicleta velha sobre nossas cabeças. Saímos da mercearia para o sol quente da primavera. Música *dance* sai de um carro passando com todos os vidros abertos, soltando uma fumaça densa e cinza do escapamento barulhento.

"Meio-dia e meia", Charlie diz, olhando para o relógio, antes de enlaçar meu braço com o dela. "Hoje você tá vivendo a vida louca, Noelle Butterby."

"Porque gastei dez libras em tâmaras orgânicas?"

Charlie ri e me aperta. "Porque é meio-dia e meia e você tá andando na direção do território do perigoso Ed McBobão-Donnell."

Dou de ombros, mas é claro que já sei disso — eu poderia muito bem ter um mapa na parede do meu quarto, em que os movimentos dele são rastreados com tachinhas e rotas alternativas são traçadas para *evitar* encontrá-lo. Desde a noite da cápsula do tempo, Charlie já viu Ed duas vezes — à distância —, sempre por volta de meio-dia e meia, em dias de semana, perto da estação de trem. Desde então, tenho evitado a área e dado a volta para pegar meu carro.

"Eu sei. Mas me recuso a continuar evitando o cara. Eu que moro aqui, não é? *Ele* que foi embora. E, mesmo que tenha voltado de vez, *ele* que deveria ficar constrangido quando me vê." As palavras parecem firmes, mas não tenho certeza de que meu coração esteja assim convencido. Imagino que em algum momento ele vá se cansar da solidão e se deixar levar.

"Essa é minha garota. E lembra o que eu disse: quando você vir o cara, só sorri, acena e diz: *Tudo bem?* E segue em frente, como se tivesse sete mil coisas melhores pra fazer. Tipo, você sabe: *a gente se vê, tenho que ir, não dá pra conversar agora.* Opa, vamos!" Charlie me puxa para atravessar a rua. "Farol verde."

A primavera chegou do nada, como se sempre tivesse estado aqui. As abelhas voltaram, assim como o cheiro forte da grama recém-cortada e a vontade inútil de conseguir passar o dia sem jaqueta (até o sol ser completamente engolido por uma nuvem). Fico feliz que seja meio de abril, quando a luz solar pode clarear velhas manchas e a brisa fresca solta teias de aranha, liberando espaço para novidades. As poucas semanas desde o reencontro pareceram arrastadas e estagnadas, como o céu cinza infinito e implacável. Liguei para a escola todos os dias por uma semana, para ver se tinham encontrado a câmera de Daisy. Desisti quando o homem do outro lado da linha soltou um suspiro assim que falei quem era.

"É melhor mesmo você esperar até que remarquem o evento", ele disse, parecendo entediado. "Caso encontrem a câmera, o que é improvável, temos suas informações de contato." Pedi desculpas, mas ainda não sei bem pelo quê. Não acho que esteja errada de querer algo que pertenceu à minha melhor amiga, ou por querer ver as últimas fotos que ela tirou de nós. Tampouco acho que esteja errada de querer enviar fotos inéditas de Daisy à mãe dela, Mingmei, que deve olhar para as imagens de sempre há quinze anos. Não consigo criar coragem para mandar a carta a ela, a que escrevi para Daisy na época, falando sobre todos os lugares aonde iríamos.

Com certeza seria mais fácil ler sobre todas as coisas que a filha poderia ter feito se pelo menos a carta chegasse acompanhada de fotos cheias de vida e sorrisos, como a própria Daisy era.

E é claro que houve todo o lance de sonhar acordada com Sam. Reviver mentalmente o que passamos. No início, eu pensava tanto nele que até comecei a esquecer a aparência dele, como se eu tivesse desgastado a lembrança, como a impressão desbotada de um jornal velho. Ainda bem que isso diminuiu bastante, mas ainda penso nele, claro (semana passada tive um sonho digno de Oscar estrelado por mim, Sam e um banho no topo de uma montanha, que quando contei a Charlie por WhatsApp na manhã seguinte ficou parecendo mais um romance de época). Mas a rotina normal e o sol de primavera ajudaram a neve de março a parecer coisa de outra vida. O que me deixa aliviada. Nenhum ser humano sensato quer passar as noites tentando imitar a risada profunda e sexy de alguém e perguntando: *querido Google, uma pessoa pode ser acusada de* stalking *por causa dos próprios pensamentos e por buscar "Sam Oregon monte Hood guia montanhas gostoso Instagram" de vez em quando e torcer para descobrir alguma coisa?*

Charlie apoia a cabeça no meu ombro, e o cabelo platinado dela roça no meu queixo. "Não consigo parar de ler a carta que a Daisy te escreveu", ela suspira. "Devo ter lido umas vinte vezes."

Assinto. "Eu também, Char."

"Adoro o jeito como ela escreve. Como ela fala da sua alma gêmea, da massa de pizza. E o fio vermelho... Conta de novo essa história? Lembro só vagamente. Ela deu mesmo uns fios vermelhos pra gente uma vez?"

Sorrio. "Deu, sim. No Dia dos Namorados."

Charlie suspira de novo, com uma mão aberta no peito.

"Tem a ver com uma crença... com um provérbio chinês que fala de um fio vermelho que liga duas pessoas destinadas a se encontrar. Que às vezes emaranha, mas nunca se rompe."

"Nossa. Ela era bem romântica, né? Tão... sei lá. Mágica. Talvez virasse uma romancista. Uma poeta. Ela... com certeza moveria montanhas."

"É verdade", concordo, sentindo um nó inesperado na garganta.

"Fico sempre chateada de não ter estudado com vocês."

"Sério?"

"Pois é", ela confirma, triste.

Daisy e eu conhecemos Charlie aos dezesseis anos, quando começamos a trabalhar à noite como garçonetes em um bufê local que organizava casamentos e festas de aniversário chiques. Dois anos mais velha, Charlie era a garota descolada que queríamos desesperadamente ser, com o cabelo sempre mudando, meia-calça arrastão e lingerie combinando. Ela era uma *péssima* garçonete — a pior, sério. Não fazia nada além de se pegar com os padrinhos e comer os restos dos convidados, mas sempre limpávamos a barra dela. Éramos loucas por Charlie desde o dia em que subornou o chef para que colocasse alguns pãezinhos dentro da cueca e depois de uma hora os serviu para um convidado que tinha passado a mão na bunda dela do nada.

"Pãezinhos sabor bunda", Charlie tinha brincado com a gente. Ela foi embora antes da sobremesa, quando o namorado músico que ela tinha na época chegou na minivan enferrujada dele, com fumaça de cigarro saindo pela janela como se tivesse uma fogueira lá dentro.

"Fico pensando em como seria uma carta da Daisy pra mim. O que você acha que ela teria escrito, Elle?"

Sorrio sozinha, mas uma bolha de tristeza parece crescer dentro do meu peito. Eu me torturei por tanto tempo na época, pensando no que Charlie realmente pensava de mim por ter deixado Daisy entrar no carro. Uma vez até perguntei, e ela ficou horrorizada, claro. Disse que teria feito o mesmo, o que ajudou. Mas, de tempos em tempos, eu me perguntava se ela só havia dito aquilo para me deixar feliz. Porque Charlie é boa nisso. O apoio às pessoas que ama é inesgotável, independente do que façam. Acho de verdade que, se eu anunciasse de repente que ia começar a jogar basquete pelada, ela apareceria na arquibancada, com meu nome escrito nas costas da camisa para torcer por mim.

"Acho que a Daisy teria dito pra você continuar pegando estrelas do rock", arrisco. "Pra conseguir acesso aos bastidores do Warped Tour. E continuar sendo Charlie *Wilde*. Selvagem até no nome..."

"*Selvagem por natureza*", Charlie termina por mim, e damos risada. Chegamos à vitrine estreita do Wilde Heart. Faz seis anos que ela tem esse estúdio de tatuagem, que ela toca como tudo mais na vida: sem demonstrar nem um pingo de medo ou dúvida. "Então..." Ela solta meu braço e leva a mão à porta de vidro. A moldura de madeira está pintada de rosa--chiclete. "Já conseguiu encontrar o americano de Ohio?" Nuvens encobrem o sol, e uma brisa fresca sacode as pontas do cabelo na altura do queixo dela.

"*Oregon*", corrijo e rio. "E você sabe que não encontrei." Não digo a Charlie que até tentei. Fiquei jogando termos aleatórios no Google, até descobri onde Sam trabalha e o site da empresa de excursões ao monte Hood que ele mencionou. Cheguei ao link porque outro guia mencionou um "Sam" em um texto de blog estilo "um dia na minha vida". Foi tudo o que consegui descobrir.

"Contrata um detetive particular", Charlie diz.

Dou risada. "É, porque isso não é nem um pouco assustador."

"Ele pode estar tentando encontrar você também."

"Duvido."

"Tive meu primeiro despertar sexual com um americano. No MSN. Ele se chamava Justin."

"Achei que tivesse sido com o H do Steps."

"Ah, merda, é verdade. Não posso esquecer o cara. Bom, então tive o meu segundo despertar sexual com um americano no MSN. O primeiro foi com o H. No clipe de 'It's the Way You Make Me Feel'. Nossa, cara. As roupas com babados. Aquela aparência desamparada de um homem do período regencial que poderia destruir a nossa vida."

"Sei."

"E seus genitais", Charlie diz e soltamos uma gargalhada. Ela oferece um abraço, e eu aceito. Charlie sempre cheira a bala e chiclete, em contraste com o cheiro forte e fermentado de casca de laranja que chega da quitanda ao lado.

"Elle", Charlie se afasta para olhar para mim. "Será que eu ainda sou ela?"

Levo um momento para perguntar: "Quem?".

Charlie me encara, triste. "Charlie Wilde."

"Bom, agora você é a Charlie *Christopoulos*. Mudou de nome quando casou, lembra? Com aquele grego de agora há pouco. Com os tomates que mudaram a sua vida e aquela barba linda."

Dou risada, mas Charlie não me acompanha.

"Não, quero dizer... eu mudei? Tipo, completamente?"

Seguro os ombros dela. "Não. Mas também sim. Todos nós mudamos. É o normal, né? A gente cresce e muda. Claro. Mas você sempre vai ser a Charlie Wilde pra mim."

Ela sorri, com uma expressão vitoriosa, e beija minha bochecha. "Tchau, Noelle", então entra no estúdio, e a música alta lá dentro invade a rua, depois cessa quando a porta se fecha atrás dela.

Caminho por dez minutos ou mais, parando para comprar o pão que minha mãe adora, depois algumas coisas de que ela precisa da farmácia. É como dizem — bom, é como Charlie e Theo dizem, e aqueles vídeos esquisitos sobre a lei da atração a que assistem no YouTube. Quanto mais se pensa em uma coisa, mais se presta atenção nela, independente de ser algo desejado ou não, e mais ela aparece. Quando o semáforo de pedestres fica verde, atravesso a rua e o vejo. Ed. Do lado de fora do café perto da estação de trem, falando no celular, com uma bolsa pendurada no ombro e os lábios se movendo depressa.

É tarde demais. Ele me vê e ergue a mão. Não posso parar, não posso me virar. Não tenho escolha a não ser seguir em frente, seguindo o fluxo de pessoas atravessando para o lado *dele* da rua. Quando chegar à calçada, pretendo fazer o que Charlie disse: oferecer um sorriso rápido, um aceno, um *Tudo bem?*, sem parar, como se estivesse ocupada demais. Só que Ed desliga, abaixa o aparelho e vem na minha direção, me alcançando antes do meio-fio.

"Nellie. Oi."

É estranho encontrar uma pessoa que você costumava ver tanto a ponto de se tornar parte do cenário da sua vida. Mesmo quando faz mais de setecentos dias que vocês não se falam, ela acaba se encaixando rapidamente. Você lembra na hora as coisas que achava que tinha esquecido. As maçãs do rosto pronunciadas, a boca larga que você beijou mil vezes, as duas pintinhas na mandíbula que parecem pingos de tinta.

Enquanto olho para Ed, uma parte de mim quer abraçá-lo, se aconchegar nele, botar a conversa em dia, falar sobre as milhares de lembranças que compartilhamos, ouvi-lo dizer: *Somos dois idiotas, Nell. Por que fizemos aquilo? Por que fui embora sem você?* Outra parte de mim quer sair correndo, claro, e fingir que meu mundinho segue normalmente, sem qualquer perturbação.

"Oi. Tudo bem?"

"Tudo. É bom te ver. Como você tá?" Ele sorri, com o sol batendo nos olhos. Sempre ficam com um tom verde-oliva profundo na luz solar.

"Bem, bem. Tô voltando do trabalho, então..." Meu estômago se revira. Não consigo acreditar que estou cara a cara com ele. Ed. Por tanto tempo, o *meu* Ed.

"Acabei de sair do hospital. Um plantão de dez horas que acabaram se transformando em doze e depois treze. Você sabe bem como é." Ele sorri para mim.

"Sei. Então você voltou?"

Ed confirma com a cabeça. "Pois é! Surgiu uma oportunidade na reumatologia, mas pra trabalhar com adultos, pelo menos no momento. Meu irmão me indicou, e pareceu a coisa certa, sabe? Foi incrível nos Estados Unidos, mas... sei lá. Eu precisava ir embora. E estava com saudade de casa." Ed olha para mim, e eu sinto um calor se espalhar pelo meu peito, como raios de sol. Fico furiosa quase instantaneamente, pensando na maneira como ele me ignorou no reencontro, virando as costas como se nem me conhecesse. Como se eu não fosse ninguém.

"E aí, você pegou o seu envelope?"

Ele só fica me olhando. "Como?"

"Seu envelope", repito. "No reencontro. A cápsula do tempo."

"Ah. Sim. Peguei, sim." Ed coça a nuca e inclina a cabeça, me observando de lado daquele jeitinho dele. Com aquela expressão de *ah, merda* que me dirigiu umas mil vezes no passado, do outro lado da mesa da cozinha ou do travesseiro, depois de ter estragado tudo, ou depois que a comida que deixei sete horas marinando não ficou boa... *Nell, eu... desculpa, mas ficou horrível*, ele dizia, com a mesma expressão. Quase sorrio no meio da rua, pensando em nós dois nos matando de rir em volta da mesinha redonda, antes de jogar o jantar no lixo e pedir o de sempre no Masala Hut.

"Olha, desculpa. Eu... não estava esperando ver você."

"Não estava esperando me ver?"

"Não, não, eu sabia que você viria, claro que sim. Acho que pensei que não ia te ver, e aí... lá estava você. Fiquei um pouco perdido." Ele ri, abrindo o sorriso do qual eu não parava de falar para a Daisy, que fazia aula de biologia com ele. *Não entendo, Noelle*, ela costumava dizer. *Você, Charlie e esses engraçadinhos. Tipo, ele é legal, divertido e tal, mas não quer alguém melhor? Mais alto? Quero um poeta sofrido. Alguém como o Lee, o cara da aula de encanamento. Ele com certeza é assim. Tão perturbado quanto Byron.*

"Desculpa, Nell", Ed prossegue. "O que posso dizer? Fui meio babaca."

Faço que sim com a cabeça. "Meio? Totalmente."

"Tá bom. Totalmente babaca."

É a injustiça dos términos de relacionamento. Vêm quase sempre de um lado só. Uma pessoa decidiu antes da outra. Cansou de sofrer, reprimiu os sentimentos, enquanto você... bom, seus sentimentos continuam vagando sem rumo, como filhotes de gato tentando encontrar o caminho para casa. A sensação é essa. Meus sentimentos sem lar emergiram de cantos obscuros. Porque ele está de volta.

A pessoa que os largou no frio. Por doze anos, Ed foi minha casa.

"Desculpa, mas tenho que ir."

"Claro." Ed assente e dá um passo à frente, como se pensasse em me abraçar. Em vez disso, enfia as mãos nos bolsos, com os ombros tensos. "Talvez a gente possa... tomar um café ou algo assim."

Hesito. "Tchau, Ed." É tudo o que digo, dando as costas para ele. Porque a conversa já durou mais do que o mentalmente planejado, e quero ir embora enquanto estou ganhando. Antes que Ed diga algo e estrague tudo. O Oregon e tudo o que perdi não indo com ele. A mulher com cachos castanho-avermelhados e sobrancelhas perfeitas que estava ao lado dele em uma foto no Twitter alguns meses atrás, na qual dei zoom para dissecar junto com Charlie. *Ela parece cruel*, Charlie disse, tirando tudo o que podia dali. *E aposto que tem mau hálito. Você sabe. De quando a gente passa horas sem comer, com cheiro de cocô de cavalo velho. Ela parece bem o tipo.*

Não espero que Ed se despeça, não dou a chance de ele fazer isso. Vou embora, com o coração batendo forte, como se tivesse começado a correr muito antes de mim.

9

Só hoje abri o site do lugar onde Sam trabalha três vezes. Alguns dias, a ideia de mandar um e-mail parece inofensiva e até fofa. Outros dias, parece que daria no mesmo eu estar do lado de fora da casa dele, me disfarçando com uma barba falsa e óculos escuros, escondida na cerca viva, com uma câmera na mão. Tenho dezesseis mensagens pela metade na minha pasta de rascunhos. Não mandei nenhuma, claro, mas às vezes, quando ele me vem à cabeça, fico tentada a enviar. Estou pensando em Sam agora, enquanto amarro um buquê de narcisos com um barbante e ponho uma tulipa cor de ameixa aninhada entre eles, relembrando a conversa sobre flores que tivemos durante as oito horas no carro dele.

Você diria que o seu trabalho também é o seu hobby?, eu perguntei a Sam naquela noite, debaixo do meu cobertor.

Acho que sim, ele respondeu. *E você?*

Bem que eu gostaria, eu disse a ele, depois mostrei fotos no meu Instagram dos arranjos e buquês que eu fazia para a recepção e as janelas dos meus clientes, que davam o toque final aos lugares limpos e arrumados, imprimindo um pouco de cor e o aroma da estação do lado de fora. *Compro a maior parte das flores no fim do dia, no supermercado*, eu contei a ele. *São as flores que ninguém mais quer.*

Sam sorriu: *Isso torna você oficialmente uma socorrista de flores.*

Sinto um arrepio descendo pela espinha ao imaginar a voz dele. Talvez seja isso o que eu amei nas horas no carro com Sam. Ele me fazia perguntas e ouvia, e eu podia falar o que quisesse. Não precisava me preocupar com a possibilidade de minhas palavras ferirem alguém sem querer. Não que falar sobre meu gosto esquisito e inesperado por flores pudesse ofendê-lo, mas ficou claro que eu gostaria de fazer algo diferente da vida. Começou como um capricho — plantar bulbos em vasos no nosso pequeno pátio de concreto, no verão depois que Daisy morreu. Acho que ter algo de que cuidar, algo de que tomar conta todo dia, ajudou. Uma coisa que começava do zero e de repente ganhava vida e cor. Se eu não cuidasse das sementes ou das mudas, se não estivesse mais ali, tudo morreria, ou não teria a chance de se tornar alguma coisa. Desde então, as plantas passaram a ser um conforto inesperado. Eu estaria mentindo se dissesse que não queria que fossem uma parte maior da minha vida. Que não gostaria de me inscrever em uma oficina de floricultura de seis meses e depois continuar estudando, tentar fazer um buquê de casamento de verdade, que seria carregado por alguém em vez de colocado em um vaso numa sala qualquer e publicado na internet. Mas, se eu explicasse à minha mãe, ela internalizaria aquilo. Veria como um símbolo de tudo o que eu poderia fazer se não precisasse cuidar dela.

"Acho que vou preparar um chá de camomila." Minha mãe entra na cozinha, arrastando as pantufas peludas pelo piso de linóleo, depois se segurando na bancada de ardósia cinza. "Demorei um século pra dormir ontem à noite. *Ah.* Que lindo, querida. Pra quem é?"

"Pro Jetson's. Eles vão participar de uma construção coletiva, e vou aproveitar pra limpar pela manhã. A Candice adora narcisos."

"A recepcionista?"

Confirmo com a cabeça.

Minha mãe sorri, e as rugas em volta dos olhos parecem galhos nus rabiscados. "Eles não te merecem. Contratam uma faxineira e recebem um anjo."

"Eles ficam na expectativa. Gostam de ver o que vou levar."

Deixo de fora o fato de que, meses atrás, Candice e Steve me pediram para ser a florista do casamento deles, e precisei reunir todas as minhas forças para recusar. Mas eles vão se casar em Edimburgo, a mais de seiscentos quilômetros de distância (me certifiquei dessa informação várias vezes), por isso simplesmente não vai rolar. Agora que Ian não mora mais ao lado e Dilly está em turnê com a banda, vivendo em alguma van velha e fedida, não tenho ninguém que possa ficar de olho na minha mãe, mesmo que apenas por um ou dois dias. Espero que seja diferente no futuro. Mas até lá, fazer os buquês na mesa da cozinha vai ter que bastar. Torço para que coisas importantes aconteçam um dia, mas são as pequenas coisas que importam, não é? Que servem de referência. São elas que mais fazem falta quando nosso mundo vira de cabeça para baixo.

Minha mãe boceja. A água ferve e a chaleira desliga. Vapor sobe, e uma nuvem em forma de cogumelo se forma. "O Dilly disse que vai dar uma passada na semana que vem", ela fala. "Só por alguns dias. Parece que ganhou um bom dinheiro na excursão pelo norte."

"Tomara. Da última vez que ele falou isso, tinha recebido o pagamento por um show em carne. Não sei se dá pra pagar impostos com costeletas de porco e linguiça."

Minha mãe ri, espalmando a mão delicadamente na barriga enquanto espera pelo chá. Às vezes, olho para ela e mal consigo acreditar que minha vida começou nessa barriga. Minha mãe é pequena — PP, de acordo com as lojas de roupas. Quando se apresentava — como uma excelente cantora —, eu ia assisti-la e ficava deslumbrada, ainda criança. Tudo caía perfeitamente bem nela. Sob as luzes do palco, os traços elegantes a deixavam parecida com uma estrela de Hollywood dos anos 1950. Dilly é que nem minha mãe. Tem um rosto bonito e é bem magro, apesar de comer como se tivesse um estômago escondido em cada membro. Ele devora um frango inteiro enquanto o restante de nós se satisfaz com um sanduíche. Não sou como eles. Puxei ao meu pai. Não me lembro muito bem dele, mas tem as fotos, e guardo uma vaga lembrança de quando Dilly ainda era bebê. Ele era alto como eu. Tinha o mesmo cabelo cacheado. Quando eu era pequena, sonhava que recebia notícias inesperadas do meu pai, como acontece nos filmes. Que ele aparecia com uma desculpa plausível para a sua ausência, e que tudo ficava bem. Eu imaginava nós dois caminhando, nossos cachos balançando juntos. Mas, quando a gente fica mais velho e mais sábio, aprende que algumas pessoas simplesmente não vão fazer parte da nossa vida. Que a prática é diferente da teoria. Que as coisas são como são. Minha mãe sempre foi o bastante para mim e para Dilly. Um vilarejo inteiro em uma única pessoa. Ou pelo menos costumava ser assim, até o derrame.

"Estamos meio sem dinheiro, Noelle", minha mãe diz agora, e as palavras interrompem meus pensamentos.

"Quê? Como assim?"

Vivemos meio sem dinheiro. Temos que nos ater ao orçamento, riscar as contas da lista da geladeira conforme são pagas, planejar adiantado qualquer coisa não essencial que gostaríamos de comprar. Sempre funcionamos assim.

"Bom... não percebi que Dilly ainda estava devendo no cartão de crédito. As despesas mensais têm sido quase o dobro do que eu esperava."

Quê? Quero dizer isso em voz alta, deixar simplesmente sair da minha boca, como costuma acontecer, mas não faço isso com a minha mãe. Sou cuidadosa com ela, como se fosse de cristal e pudesse quebrar ao menor tremor. Agora, assim de perto, noto que a pele dela, em geral rosada e religiosamente hidratada, está acinzentada. Ela parece cansada.

"Ele disse que ia mandar dinheiro", minha mãe continua falando. "Dos shows."

"E não mandou."

"Tenho certeza que ele vai contribuir quando vier, Noelle", ela diz, com os olhos arregalados e ávidos, como se eu fosse acreditar nisso. Dilly. O bebê. Tão parecido com ela, na aparência, nos sonhos, na ambição, no jeito para a música. "Mas é que... até lá..."

E caso ele não ajude, penso.

"Vou falar com ele", digo, mas quero dizer muito mais. Porque todo dia espero que minha mãe diga com todas as letras, que admita que precisa de ajuda — de terapia em grupo, como sugerido pelos médicos — e que sente falta de quem costumava ser antes de se diminuir tanto. Mas não digo. Porque compreendo melhor que ninguém. E as coisas poderiam ser muito piores. *Estou aqui.* Tenho minha família. Tenho esta casa. Por sorte. É muito mais sorte do que tantas pessoas têm. Muito mais sorte do que eu poderia ter tido, se...

"Vamos ficar bem." Acho que a convenço. Só não tenho certeza de que eu mesma estou convencida.

07882 171 7712

Oi, Nell. Legal te ver aquele dia. Me fala se quiser tomar um café :) Meu número agora é esse. Bj

10

Dilly não vem para casa com muita frequência. Basicamente vive na estrada, tocando guitarra e fazendo backing vocal na banda, a Five Catastrophes. E, embora seja tão responsável e sensato quanto uma noz descascada, sempre fico aliviada quando ele aparece. Porque não tenho que voltar correndo do trabalho. Posso passar no mercado numa terça-feira e dar uma olhada na barraquinha de roupas usadas e esquisitas da esquina. Posso visitar Charlie e almoçar com ela, as duas sentadas nas cadeiras de couro do estúdio. Quando Dilly está em casa, meu tempo — ainda que curto — é *meu*. A não ser por hoje. Combinei de encontrar Candice na casa de chá perto do Jetson's, para falar sobre o casamento e ajudar a pensar nas flores. Pretendia gastar um voucher que ganhei de aniversário em fevereiro. Mas então Dilly me mandou uma mensagem: *Pode voltar mais cedo?* Depois me mandou um áudio longo e enrolado, que começava com: "Você se importa de vir dar uma olhada no tornozelo da mamãe?". Desliguei o telefone antes que terminasse e joguei dentro da bolsa. Uma noz. É isso o que acontece quando se deixa uma noz no comando.

Encontro minha mãe sentada no sofá da sala, com a perna erguida, um saco de milho congelado na perna direita e um pacote de linguiças congeladas no pé. Dilly está sentado na poltrona, de braços cruzados, como se tivesse acabado uma sessão de terapia, o cabelo loiro quase branco todo espetado no alto.

"O que tá acontecendo?"

"Acabamos de meditar", diz Dilly. "Ajuda com a dor."

"Com a dor?"

"Você não ouviu o meu áudio?".

Minha mãe inspira profundamente pelo nariz e geme toda vez que expira. Está rígida, como se as juntas fossem de concreto.

"Bom, não, não tudo, era tipo um podcast. Dilly, fala logo o que aconteceu."

"Ah, Noelle." Minha mãe abre os olhos para mim, como um cachorrinho que aprontou. "Eu caí."

Sinto um aperto no coração. "*Caiu?* Onde?"

Ela começa a chorar e leva as mãos ao rosto. Lágrimas escorrem pelos dedos. "Subi na escada", minha mãe explica, com a voz trêmula. "Estava tentando subir no sótão. Tem tantos discos lá, tantas coisas que não uso mais, até microfones, e pensei... é que Ian tá sempre me falando do eBay, e com aquela coisa do dinheiro que comentei na outra noite, eu..." Meu coração fica ainda mais apertado, como se alguém o pegasse na mão.

"Ah, mãe. Mas por que foi que você tentou subir na escada sozinha...? Dilly, onde *você* estava?"

"Na banheira", ele diz, dando de ombros. "Vendo *Gilmore Girls.*"

"Foi sorte eu não ter caído escada abaixo", minha mãe prossegue. "Mas minha perna ficou presa num degrau e... ah, Noelle, tá doendo muito."

Vou até o sofá e tiro o saco congelado daquele tornozelo

75

magro com todo o cuidado. Há manchas roxas e azuis, que parecem ficar mais escuras no tempo que levo para me sentar e olhar mais de perto.

"Tá feio? Nem consigo olhar."

Dilly se inclina para nós e faz uma careta. "Tá, hum, é. Acho que tá tudo bem."

"Tudo bem? Dill, tá preto e roxo."

Dilly ergue uma sobrancelha para mim, como se dissesse: *Bom, então você diz pra ela que vamos ter que procurar ajuda, porque eu não vou dizer.*

"Acho que a gente vai ter que arranjar alguém pra ver isso, mãe."

Ela fica branca quase instantaneamente. Odeia hospitais. Passou quatro semanas internada depois do derrame, me implorando diariamente para tirá-la de lá, como se fosse uma prisioneira abandonada. *A pessoa entra no hospital com algo simples como um problema de vesícula e sai com uma superbactéria resistente a penicilina. Daí vai direto pro caixão, com um órgão tocando "My Way". Não me olha assim, quem disse isso foi a Sheila. Ali, na cama 4. Ela trabalhava como auxiliar de dentista.*

Minha mãe funga, se ajeita no sofá e balança a cabeça, como se assim pudesse se livrar das preocupações. "Não. Foi só uma batida. Não tem problema." Ela se estica para conferir, e pelo modo como arregala os olhos eu sei que está assustada só de ver o hematoma aumentando, como uma ilha de mármore na pele. "Só me deem um analgésico e liguem pro Gary do 21. Talvez ele tenha uma bolsa de gelo. As linguiças estão começando a descongelar. Vai ter que cozinhar, Noelle. Não podemos desperdiçar. Faz no forno. Põe numa tortinha."

Vou para a cozinha e reúno tudo o que possa ser útil para um tornozelo machucado: ibuprofeno, uma pomada anti-inflamatória e analgésica de 2003, KitKats para melhorar o humor. Dilly aparece dez minutos depois, com as bolsas de gelo que conseguiu com Gary (e uma bela dose de babaquice autocentrada).

"Foi meio constrangedor", ele diz, rindo, "conversar com o Gary. O velho Gary. Acho que ficou meio deslumbrado."

"Quê?"

"Bom, ele não me via desde que a gente tocou na rádio Rock Gloucester. Sei lá, a cara dele quando abriu a porta e me viu. Ficou meio... impressionado. Deve ter sido igual quando eu vi o Brian May na Waterstones."

Tenho vontade de dizer a ele que as chances de Gary (que começa a cantar os hinos das torcidas antes mesmo do início da temporada de futebol) ouvir a rádio Rock Gloucester são tão grandes quanto as de mamãe e a perna dela explorarem a Ásia com apenas uma bússola e um arpão, mas estou tentando achar as almofadas térmicas elétricas. Abro todas as portas do armário da cozinha, como se pudessem estar entre os chocolates e as latas de sopa.

"Será que a gente devia ligar pra emergência?", pergunto a Dilly. "Pra receber orientações médicas?"

Dilly reaparece na porta depois de ter deixado as bolsas com mamãe. "Não. O gelo vai resolver. Fora que ela odeia esse tipo de coisa."

"Vamos deixar assim então?"

Ele não responde, mas começa a mexer no iPhone e passa por fotos de diferentes tornozelos e panturrilhas inchados no Google. Depois vai para a sala.

"Dilly?", eu grito. "Você ainda tem aquela garrafa térmica que ganhou de Natal?"

"Quê?" A cabeça dele aparece no batente, com o celular na orelha.

"A garrafa térmica."

"Não tenho mais. Oi, cara, e aí? Nada, de boa com a família, e você? É o Storm, mãe. É, o Dwayne, esse é o nome artístico dele agora..."

Suspiro, me apoio na bancada e olho em volta da cozinha apertada, que parece vazia e sufocante ao mesmo tempo. Queria que tivesse mais alguém aqui, a quem eu pudesse recorrer. Quando eu estava junto com o Ed, ele testemunhou muitas ocasiões como esta. Ficava sentado à mesa da cozinha, tranquilo, enquanto seu cérebro analítico buscava uma solução, mesmo no meio do caos. *Iam receitar sertralina*, ele diria, ou *Você pode contratar alguém pra cuidar dela, Nell.* Ed repetiria isso aqui agora. Depois riríamos juntos do novo nome do Dwayne secretamente. Os integrantes da banda de Dilly sempre mudavam de nome. Já tinham sido de tudo, de talheres a diferentes tipos de sedimentos.

"Elle?", Dilly me chama. "Cadê as almofadas térmicas? Não, não, continuo aqui, Storm."

Dilly é péssimo em situações de crise. Não sabe o que fazer. Provavelmente porque foi protegido a vida toda pela nossa mãe. Ele nasceu com um buraco no coração, mas agora está perfeito. A cavidade se fechou com o tempo, o que os médicos torciam para que acontecesse. Mas, às vezes, acho que minha mãe faz o seu melhor por Dilly para que ele não passe por nenhum estresse. Imagino que ela ache que meu coração aguenta, e me pergunto com que frequência os dois pensam: *Noelle resolve. Ela lida com isso.* O que aconteceria se eu dissesse: *Não. Noelle não resolve. Noelle tá cansada de lidar com isso?* Mas não digo nada. Porque amo Dilly. Porque amo minha mãe. E não é por isso que fazemos qualquer coisa, no fim das contas? Não importa se direta ou indiretamente. Por amor.

"Noelle?", minha mãe me chama. "Noelle, querida, você tá aí?"

"Sim, tô aqui."

Me parece incompreensível que nem uma hora atrás eu estivesse na cama dormindo e agora me veja no silêncio da sala de espera do hospital, de calça de agasalho, casaco e a blusa velha do pijama, cuja estampa é o rosto enorme e redondo de um personagem infantil, totalmente inapropriado para um pronto-socorro.

A perna da minha mãe inchou durante a noite, e de madrugada ela já não aguentava mais. Dilly ainda estava acordado, porque tinha voltado do bar à meia-noite, bêbado e cheirando a cerveja e hambúrguer. Tinha encontrado Matt, um ex-namorado com quem vive terminando e reatando, que trabalha no bar.

"Fui mijar assim que cheguei e quando saí deu pra ouvir a mamãe gritando do quarto." Dilly me acordou. Minha mãe pediu — pediu de verdade — que a gente a levasse ao hospital, e alívio e preocupação me atingiram ao mesmo tempo, como uma onda. Depois ela começou a surtar. Entrou em pânico, hiperventilou, ficou furiosa e disse coisas horríveis. "Por que foi que você chamou uma ambulância, hein? Vão me fazer entrar, Noelle. *Vão me fazer entrar!*" Eu disse a ela, com toda a calma, que ia ficar tudo bem. Fingi que o que ela tinha dito não me atingia e respirei fundo quando entrei no carro gelado, para não chorar. *Tô fazendo o meu melhor*, era o que eu queria dizer. Só isso.

Dilly parecia assustado na porta da frente, mordendo a manga da camisa, enquanto as luzes da ambulância marcavam o rosto pálido com listras azuis, como um sinal de mau presságio. Eu disse a ele para ficar em casa. Ele não seria de nenhuma utilidade no hospital e só incomodaria nós duas. Fora que estava bêbado. A última coisa de que eu precisava era Dilly vomitando na lixeira ao tentar manter o energético na barriga.

A ambulância veio e saiu depressa, e eu fui atrás no meu carro. Ao chegar lá, minha mãe foi recebida por enfermeiros que verificaram a pressão e a temperatura antes de levá-la para fazer um raio-x de emergência. Ela tremia, segurando uma máscara de oxigênio no rosto, com os olhos bem arregalados e o semblante sério, apesar dos sorrisos falsos de encorajamento que eu lançava da cadeira laranja de plástico na sala de espera. Agora faz meia hora que a levaram, e nem sei se alguém vai saber como me encontrar. Me deixaram aqui, nestes bancos na entrada da reumatologia. Segui a cadeira de rodas até onde pude, mas antes mesmo que eu perguntasse o que devia fazer ou onde devia esperar, seguiram com ela até o fim do corredor e entraram no elevador. Esta ala está em silêncio, a não ser pelo zumbido de duas máquinas de venda automática e pelo vaivém de médicos e enfermeiros e seus sapatos fazendo barulho. Penso em Ed. Ele atravessando esses corredores ainda jovem, na noite em que Daisy morreu, e agora, como adulto. Como médico. É aqui que ele trabalha e ganha a vida, enquanto a vida de outros se desfaz.

O relógio na parede tiquetaqueia. São quinze para as três.

Essa é a questão envolvendo a madrugada, a solidão e lembranças ruins. Faz você buscar conforto e segurança. Foi por isso que mandei uma mensagem para o Ed no estacionamento, enquanto criava coragem para entrar. Viemos para este hospital quando avisaram sobre Daisy. Eu me lembro de tudo: do estacionamento, do perfume forte de água de rosas da enfermeira que nos recebeu, da agonia no rosto da mãe da Daisy, do homem com um guarda-chuva vermelho enorme que bloqueava a entrada, da cor que parecia forte demais para um mundo que começava a ficar cinza...

Abri a notificação do Ed no carro, enquanto a chuva que caía do céu preto castigava o para-brisa. Salvei o número dele por cima do antigo, que nunca tive coragem de deletar.

Minha mãe tá no hospital. Tô sozinha. Você tá de plantão? Bjs

Enquanto uma parte de mim torce para que ele não veja a mensagem, outra parte — ligeiramente maior, concentrada no meu peito como um abismo — daria tudo para vê-lo saindo pelas portas duplas agora, de jaleco e com um sorriso. O rosto familiar de alguém que me conhecia. Que me conhece. Que conhece minha mãe, Dilly e eu, e nossa vida rotineira, que por doze anos foi parte da dele.

O elevador apita, e por um momento acho que é minha mãe, mas é só um grupo de enfermeiros com uma mulher frágil e encolhida que mal parece viva, sendo empurrada em silêncio na maca. Unhas pintadas de vermelho saem por baixo do lençol branco imaculado. Fico me perguntando se enquanto as pintava ela fazia ideia de que suas unhas estariam apoiadas numa maca empurrada por desconhecidos pelo corredor de um hospital, com o corpo todo ligado a fios. Entendo por que minha mãe, como tanta gente, odeia hospitais. Nenhum outro lugar transmite a mesma sensação de anormalidade e tem uma estática tão pesada no ar, com vidas acabando, mudando e começando, tudo junto. De repente, me sinto só. E imagino que seja porque estou mesmo sozinha. Com tudo isso.

Dou um gole no café só para ter o que fazer com as mãos trêmulas. As portas duplas se abrem. O som é de algo travado se desprendendo. Leva um segundo para as engrenagens pararem, enquanto meu coração faz o mesmo dentro da caixa torácica, como se tivesse sido desligado da tomada.

É... *não*. Não. De jeito nenhum.

Sam.

O americano da estrada. Bem na minha frente. Alto. Real. Aqui.

Ele congela, com a boca entreaberta e um copinho de café na mão, assim como eu.

"Meu Deus." Cada palavra curta demora a sair da minha garganta.

"*Noelle*", ele diz. "Noelle, você... nossa, você tá bem?"

E é então que eu finalmente choro.

11

Imagino que, pela minha cara, Sam deve ter concluído que tinha acontecido algo muito pior do que de fato aconteceu.

"É a minha mãe." Funguei, então deixei escapar um choro soluçante e descontrolado, que veio do nada e me pegou completamente de surpresa. Não me lembro da última vez que chorei na frente de alguém — além do dia em que desabei diante de todo mundo na estrada e, principalmente, do próprio Sam, mas, em minha defesa, eu nem tinha me dado conta daquilo. Agora era tarde demais. Depois de começar a chorar, não consegui mais parar, e Sam me abraçou. Chorei na blusa dele, sentindo o peitoral firme e quente dele no tecido escuro. Ele cheirava exatamente como eu me lembrava daquela noite. A banho, loção pós-barba de cedro e roupa limpa. "Desculpa", eu me afastei. "Desculpa, tô um caco. E você? Digo, tá tudo bem? Eu nem..."

"Tudo bem", ele disse, calmo. "É o meu pai. Tem umas coisas rolando. Mas ele tá bem."

Nos sentamos, e Sam me passou um lenço de um pacotinho que tirou do bolso do jeans enquanto eu falava sobre a minha mãe, o raio-x e o fato de que não sabia onde ela estava.

"Bem pensado", eu disse sobre os lencinhos.

Ele riu: "Você me viu tirando um kit de primeiros socorros de uma mochila no meio da estrada e um lenço de papel te surpreende?"

Eu tinha chorado pela minha mãe, claro, mas não só por isso. A preocupação por ela não era o bastante para motivar uma cascata de soluços espontâneos, melequentos e constrangedores. Acho que foi mais pela solidão imensa que senti naquele momento, sentada numa sala de espera que parecia tão ampla, escura e vazia. Senti que seria engolida inteira e nunca mais vista. Então Sam apareceu quando eu mais precisava, como tinha acontecido na estrada.

"Será que quebrou?", ele me pergunta, e explico o que aconteceu, agora que as lágrimas cessaram. Estamos os dois sentados em cadeiras de plástico de encosto duro, com uma máquina de vendas automática zumbindo e estalando do nosso lado, a luz azul deixando o All Star branco de Sam tão azul quanto. Conto a ele sobre a minha mãe e a escada. Sobre Dilly me acordando, a ambulância e até a mensagem para Ed. Sam me ouve. Ele diz que quebrou a perna no ensino médio, que lidou com pessoas que quebraram *tudo* nas montanhas, a quilômetros de qualquer ajuda, e que ficou tudo bem, que hoje ninguém teria como saber o que aconteceu. A sensação é ótima, porque ele não desvia os olhos castanhos do meu rosto e me escuta como se tudo dependesse das palavras que saem da minha boca. Igual a quando estávamos no carro. Como se continuássemos de onde tínhamos parado.

"O que foi?", ele pergunta, com um sorriso de lado. Percebo que parei de falar e estou só olhando para ele.

"É que... você tá aqui. Não acha isso meio... maluco?"

"Maluco." Sam ri. "Parece ser o nosso lance."

Sinto um friozinho na barriga. Do nada e bem forte.

"Você voltou por causa do seu pai? Como ele tá?"

Sam olha para as próprias mãos, entrelaçadas no colo.

"Voltei por causa dele, mas também por causa do trabalho. Eu estava no País de Gales. Faz uma semana. Tô trabalhando lá. Aí me ligaram, porque ele caiu. *De novo*. Mas tá indo bem."

"Sinto muito."

Sam dá de ombros. "A gente tem que aceitar", é tudo o que ele diz.

"Então agora você mora no País de Gales?"

Sam confirma com a cabeça e passa a mão pelo cabelo escuro. "É só por um tempo. Foi meio que o motivo de eu ter vindo no mês passado também. Pra acertar as coisas. Quando a gente... se conheceu."

Sinto algo se abrindo no meu peito quando ele diz essas palavras e me olha com aqueles cílios pretos. Fora que o País de Gales fica pertinho. Uma ou duas horas de trem. Podemos manter contato. Podemos ser amigos. Podemos ser... *Não.* Para com isso, Noelle. Não vai pirar. Você não quer ser a mulher escondida na cerca viva, usando óculos e barba falsos.

"Que legal! Um trabalho novo. Mais perto do seu pai."

Sam oferece um sorriso triste, como se não achasse nada legal. "Acho que sim. Digo, é um bom trabalho. Escalando a montanha Snowdon, o que é ótimo. Eu só não esperava estar aqui tão cedo. De volta."

"Bom, fico feliz que tenha voltado", eu digo. Sam não responde, só dá um sorrisinho.

Ficamos em silêncio por um momento, sentados lado a lado na sala de espera tranquila, cujo chão brilha. Não consigo acreditar que ele está aqui. Nem que trombamos um com o outro. Penso no site que achei, nos e-mails que quis mandar, e por um momento fico tentada a contar a ele, mas não falo nada. O barulho de uma maca ressoa no corredor e logo ela aparece, conduzida por três enfermeiros — um deles sorri para nós.

"Odeio hospitais", sussurro entre os dentes.

"Eu também."

"E são ainda piores na madrugada. Odeio a madrugada."

Sam solta um ruído que parece uma risada surpresa e entalada na garganta, então aponta para o relógio na parede. É um daqueles relógios típicos de sala de aula. Branco, circular, com números pretos arredondados. "Três e quinze", ele diz, depois se inclina e empurra meu braço gentilmente. "Pelo que eu me lembro, a gente estava se virando bem nesse mesmo horário no meu carro. Comendo aqueles biscoitos. Acho que foi mais ou menos quando você me contou a história da dominatrix e do baterista da banda do Dilly."

Dou uma risada baixa, mas o barulho ecoa na sala de espera silenciosa, como quando alguém solta uma risadinha na igreja. "Que bom que você tá aqui", digo, baixo. "Quer dizer, é claro que não é bom você estar aqui, porque significa que algo ruim aconteceu, mas... é ótimo rever você."

"Idem", é tudo o que ele fala. Depois volta a tocar o meu braço, mantendo o contato por mais tempo dessa vez. "Noelle Não Gallagher."

Compramos dois cafés com gosto de plástico na máquina e voltamos a nos sentar. Conversamos mais um pouco, sobre o voo de Sam, o clima e o trânsito. Ele me diz que contou a um amigo sobre os sanduíches de queijo do caminhão e o motorista com o banjo, e eu me pergunto se falou de mim também, sobre as horas estranhamente perfeitas que passamos juntos, assim como eu falei para a Charlie — em detalhes microscópicos, dignos de Holmes e Watson.

A máquina estala e zumbe mais um pouco, depois um telefone toca baixo, à distância. O silêncio se acomoda entre nós, e eu sinto de novo meu sangue correr carregado de eletricidade.

"E quais as novidades? Nessas quatro ou cinco semanas. Andou escalando alguma montanha?"

"*Claro.*"

"Ainda acho que você é meio maluco."

"Então nunca vou conseguir fazer você subir uma montanha?"

Ele abre um sorriso brincalhão, e meu estômago se revira. Cara, ele é bonito. Muito bonito, de um jeito meio clássico. Olhos escuros, maxilar quadrado, nariz reto. *Você adora narizes e queixos*, Dilly disse uma vez. *O seu tipo é: nariz e queixo fortes. É tão previsível... Vê se vive um pouco. Experimenta um rosto redondo de vez em quando, Noelle. Uma mandíbula que não cortaria uma torta.*

"E com você?", Sam pergunta. "O que mais rolou nos *post-its*?" Gosto da voz dele. Do sotaque, claro, mas também de como a voz é profunda e fica grave no fim de algumas palavras, sexy, rouca e estrondosa. Tentei imitar uma vez para a Charlie, que disse que parecia a voz de *Jogos mortais*.

"Ah! O Steve e a Candice vão se casar. Não te falei isso? Pois é. Os *post-its* foram só o começo da história de amor deles."

"Puta merda, sério?"

"Né? Eu estaria mentindo se dissesse que uma parte de mim não inveja um pouco os dois..."

"Como não invejar?"

"Sr. Attwood?"

Levantamos os olhos. Tem uma mulher na porta, usando roupa azul de enfermeira, pálida e com os olhos cansados, mas sorrindo simpática. "A médica chegou."

Sam pigarreia e apoia as mãos grandes nas coxas. "Obrigado."

A enfermeira acena com a cabeça, depois dá meia-volta, e a porta se fecha atrás dela.

Sam assente para mim. "É melhor eu... Bom, espero que a sua mãe fique bem, Noelle", ele diz, gentil. Depois toca minha mão brevemente. Nenhum de nós recua dessa vez, mas a sensação que percorre meu corpo é a mesma. Elétrica. Faiscante. Energia explosiva, ou seja lá o que for que Charlie e Theo acreditem que seja. Sam se levanta.

"A gente..." Me levanto também. "Será que não devemos...? Sei lá." Isso não acontece todo dia, né? Dois desconhecidos, de países diferentes, cada um de um continente, se cruzarem duas vezes em questão de semanas. Talvez estivesse escrito que eu ia conhecer Sam. Talvez trombar com ele seja um sinal, como Charlie e Theo disseram. "Quer manter contato?" Merda. Eu falei. Já foi. Não tenho como voltar atrás.

Sam não responde na hora, e um calor sobe pelas minhas costas, como se de repente eu estivesse perto demais do fogo. *Queria não ter perguntado.* Eu e o personagem da blusa do meu pijama ficamos à espera, olhando para Sam.

"Podemos trocar e-mail, telefone ou algo do tipo", insisto. "Sem pressão, claro... bom, você deve ser ocupado e tal, com... as escaladas e..." Ah, pelo amor de Deus. Cala a boca. *Fecha logo a matraca.*

Sam engole em seco e coça a nuca. "É. Claro, vamos, sim. Mas... não tô com o celular."

"Aqui." Eu me inclino para a mesinha oval cheia de folhetos dispostos em leque, perto da máquina. Pego o primeiro que minha mão encontra, sobre doação de sangue. Rabisco meu número nele com uma caneta da bolsa. "Pronto", passo o folheto a ele. "Como antigamente. Como o Steve e a Candice."

As últimas palavras certamente me deixam parecendo um lagostim.

"Beleza", ele sorri e dobra o folheto. "Valeu. Se cuida, Noelle."

E, como quando voltei para casa naquela noite congelante de março, é como se ele nunca tivesse estado ali.

12

Acordo com o som da cortina subindo e uma mão quente e familiar na minha.

"Nellie?"

Abro os olhos e eles começam a lacrimejar quase instantaneamente, por causa das lâmpadas fluorescentes. Tem mais três pessoas na sala de espera agora, todas despertas, com os olhos brilhando, cheirando a pasta de dente e perfume. Elas estão com o rosto renovado de quem teve uma boa noite de sono, se levantou, tomou um banho e se vestiu para o dia. Levo um ou dois segundos para me situar e perceber que Ed está aqui, na minha frente, de jaleco, com as ondas do cabelo caramelo arrumadas naquele topete cujo propósito é tirar as mechas da testa e no qual eu amava enfiar os dedos pela manhã, enquanto ele despertava devagar. Ao vê-lo, senti meu coração despencar para o estômago.

"Recebi sua mensagem", ele diz, animado, "e vim um pouco mais cedo."

Eu me sento. O pescoço está tão duro de dormir na cadeira que fico surpresa de não ranger como um portão velho. "Sabe onde minha mãe tá? Ela foi tirar um raio-x e não tive notícias desde então. Eu... peguei no sono."

"Acabei de chegar, mas posso descobrir."

Eu me ajeito de novo, com a cabeça a mil, latejando atrás dos olhos. Ed já foi até o balcão. A recepcionista assente para ele, com a mão no telefone e as pulseiras chacoalhando como chaves. Passo os dedos por meus cachos bagunçados, tentando domá-los, porque, mesmo sem vê-los, sei que devem ter se emaranhado de um jeito que lembra a peruca de cientista maluco de uma fantasia de Halloween.

"A recepcionista vai ligar pra emergência", Ed diz, voltando até mim. Ele se agacha e põe uma mão no meu braço. Os sapatos dele fazem barulho contra o piso brilhante. "Vão ver o que aconteceu depois do raio-x. Espero que ela ainda não esteja só esperando."

Assinto. Ele fica olhando para mim, e eu fico olhando para ele, hipnotizada. *Ed*. Ele foi meu Ed por tanto tempo que quase esqueço o tempo que passamos separados. Sempre presumi que isso nunca ia mudar, o fato de estarmos juntos. Outras pessoas terminavam, mas não nós. Não Ed e Noelle. Discutíamos o término de outros relacionamentos no conforto e na segurança da nossa bolha indestrutível. *Ficou sabendo? Que pena. Achei que eles iam durar*, comentávamos, secretamente orgulhosos de que *nós* tínhamos conseguido, mesmo tendo passado por poucas e boas, continuávamos firmes e fortes. Nem por um minuto parei para pensar que, um dia, outras pessoas estariam discutindo nosso término. Éramos *o* casal. Nenhuma parte de mim esperava que poderíamos não ser.

"Eu não deveria ter te chamado", digo.

"Não seja boba."

"Não, eu não deveria mesmo ter escrito nada."

"Sério, Nellie." Ele olha para mim, e um silêncio volta a se instalar entre nós, como uma nuvem invisível. Por mais que eu tenha dito o oposto, fico feliz por ter mandado a mensagem e ele estar aqui. Porque ele estaria aqui se ainda estivéssemos juntos e as coisas fossem diferentes, como sempre esteve. Ed dormiu no chão da minha casa por catorze noites depois que Daisy morreu, e chorou comigo, segurou minha mão, me tranquilizou até que eu caísse no sono, me ouviu repassando incansavelmente os eventos daquela noite, numa espécie de tortura, considerando repetidamente o que eu poderia ter feito, como poderia ter sido. Depois, ao longo dos anos, ele preparava o meu café da manhã preferido quando eu estava de TPM, só para me animar (*Pesadelo de Nutella*, ele dizia sorrindo, enquanto me servia os waffles cheios de cobertura). Me mostrava sites de cursos noturnos e oficinas em que eu poderia me inscrever no Oregon, a algumas ruas de distância do hospital em que ele trabalharia. *Olha, Nell. Cursos de florista, de negócios... E tem um monte de lojas e restaurantes por perto, onde você pode trabalhar enquanto estiver estudando, pra economizar.* A confiança que ele tinha em nós dois — de riscar os itens da lista que os irmãos dele e as esposas pareciam ter completado de olhos fechados: empregos dos sonhos, poupança, casa própria — fazia os olhos dele brilharem. Me lembro de quando esse brilho desapareceu quando eu disse que precisava ficar, como se eu o tivesse apagado como as velas de um bolo de aniversário.

"Que horas são?", pergunto a Ed. Um homem a algumas cadeiras de distância tosse em um lenço azul-claro. Um bebê começa a chorar, embora eu não consiga vê-lo.

"Sete e meia. Entro às nove. Apesar de que, agora que tô aqui, duvido que vá conseguir ficar sossegado até lá." Ele abre um sorriso largo para mim. "Vamos. Você precisa comer."

Ed McDonnell salvou minha vida.

Sei que se eu mencionasse isso a alguém e dissesse essas palavras em voz alta, a pessoa deduziria que a) fiquei doente ou sofri algum acidente bizarro e, como um médico heroico, ele literalmente impediu que meu coração parasse; ou b) sou do tipo carente e pegajosa que coleciona citações em pastas do Pinterest, dizendo coisas como "Você salvou minha vida no dia em que te conheci". Mas não digo isso em nenhum desses sentidos, embora Ed tenha mesmo salvado minha vida. Sem ele, eu não estaria aqui. Porque, quinze anos atrás, no dia 9 de janeiro, Ed me impediu de entrar em um carro que teria me matado. No carro que matou minha melhor amiga, e pouco depois Lee, o cara da aula de encanamento de quem ela gostava, que estava dirigindo. Aquele com quem ela sonhava acordada, com quem trocava sorrisos secretos e olhares sedutores sobre os quais escrevia no diário (ou dos quais falava por mensagem comigo e com Charlie). Não importa que tenha sido por acaso, que ele não soubesse, mas sinto que cada dia que vivi desde então devo em parte a Ed. Se estou aqui, é por causa dele. E, se consegui continuar vivendo depois da Daisy, foi porque Ed me deu um motivo. Por isso, quando penso demais nele, ou quando fuço o Twitter dele, comendo cereal direto da caixa enquanto dou zoom na foto em que aparece com a bonitona de sobrancelhas perfeitas e mau hálito, ou quando escrevo para ele sabendo que não devo, indo contra meu lado racional, eu me dou um desconto. Penso: *Bom, você não deveria estar acordada à meia-noite, se torturando com imagens de Ed de camisa branca aberta, o cabelo soprando ao vento, e quem quer que seja a mulher de cachos castanho-avermelhados no colo dele, mas quem poderia culpar você, Noelle Butterby? É o Ed. Ele salvou a sua vida.* E eu sei que muita gente seria contra o que estou fazendo agora, sentada na frente dele no café lotado do hospital, que cheira a bacon e café coado. Mas não posso evitar. Uma parte enorme de mim está mais do que feliz em estar diante dele. Parece seguro. Me sinto em casa.

"Que merda que você teve que lidar com isso sozinha ontem à noite, Nell", Ed diz, gentilmente. "Mas pelo menos não foi nada mais preocupante." Descobriram que minha mãe tem uma fratura, e ela foi levada para o quarto às cinco da manhã. O pessoal do hospital tentou me encontrar, mas não conseguiu. E tentaram me ligar, mas eu estava sem sinal, o que me parece que sempre acontece dentro de hospitais. Ela está na ala Marx, logo acima de onde fiquei sentada com Sam, e vou poder visitá-la às nove. "E como tá o Dilly? Na estrada?"

"Em casa até terça-feira. Preferi que ele não viesse, pra ser sincera. Acho que ele teria me deixado mais estressada. Fora que ele saiu e voltou bêbado e cheirando a hambúrguer."

Ed balança a cabeça e dá risada. "Tudo muda, mas nada muda, né? Pelo menos se ele tá em casa o Ian não vai surtar quando bater na porta e ninguém atender. Lembra quando fomos no cinema..."

Dou risada, com os lábios tocando a cerâmica quente da caneca de café, porque já sei que história ele vai contar.

"... sua mãe estava no banho e ele encontrou um policial na rua e levou para investigar, aí quando finalmente abriu a porta, ela achou que alguém tinha morrido?"

Ambos rimos. Ed dá uma olhada rápida para o café lotado e morde o lábio, como se aquilo não fosse certo.

"O Ian se mudou. Agora mora em Kingswood, não é muito longe. Conheceu alguém. No squash. *Pam*."

Os olhos verdes de Ed se arregalam, e ele leva a mão ao peito, fingindo estar chocado. "Você tá brincando comigo. Pelo menos o cara confessou o amor eterno dele pela sua mãe antes de ir embora?"

"Não."

"Como assim? O Ian venera o chão em que ela pisa."

"Ah, ela sabe. Porque ele meio que já contou, né? Não em palavras, mas com todas as coisinhas que costumava fazer pra ela. E sei que a minha mãe sente falta do Ian. Só queria que... ah, não sei o que eu queria." Dou um gole e sinto o formigamento da cafeína, como faíscas, fazendo meu cérebro pegar no tranco aos poucos. "Acho que eu queria que eles ficassem juntos."

Ed assente, primeiro sem dizer nada. "É, mas acho que ele não quis esperar. Não se pode culpar o cara por isso."

A última frase faz minhas bochechas queimarem de vergonha. Foi assim que Ed se sentiu quando surgiu a oportunidade de um emprego nos Estados Unidos? Quando comecei a enrolar? Eu já sabia que não podia ir com ele, precisava ficar para cuidar da minha mãe, mas fiquei pisando em ovos, evitando o assunto e fingindo que havia uma possibilidade, até que ele não teve escolha a não ser me perguntar diretamente: *Você vai comigo, Nell?* Afe. Ele disse que eu era um capacho. Que era "simplesmente patético" deixar que minha mãe controlasse minha vida aos trinta anos. De repente estávamos nos atacando e lançando palavras duras e afiadas como facas, como se aquilo fosse ajudar, como se magoar o outro pudesse nos fazer vencer, ou algo do tipo. Os dois tinham culpa.

"Agora me conta", Ed diz, batendo a mão na mesa. "Como tá a banda do Dill? Que nomes eles assumiram agora? Vassoura? Liquidificador?"

Sorrio. "O nome atual do Dwayne é Storm."

Ed faz força para engolir o café, então ri, levando a mão à boca como que para impedir que espirre por toda a parte. "*Storm*", ele repete. "Sério? Tá mais pra Ventinho."

"Brisa Leve."

Ed ri. "Lufada de Ar Quase Imperceptível Que Não Sacudiria Nem Latas de Lixo Reciclável Vazias."

Agora que estou com Ed, percebo que tenho convivido com a voz dele na cabeça nos últimos dois anos — o tom sarcástico e provocador, com o leve sotaque de Cheshire que ele nunca conseguiu perder, apesar de não morar lá desde os dezesseis anos. Imagino que quando se convive com alguém por doze anos — quase um terço da vida, e a maior parte da vida adulta —, enfim, quando duas pessoas crescem juntas, elas se completam. Os pensamentos, as palavras, as anedotas, as visões de mundo e as piadas meio que se juntam, até que vocês sejam um só e não tenham ideia de onde um termina e o outro começa. Eu sabia que Ed ia entender por que eu havia deixado Dilly em casa. Sabia que ele riria do novo nome artístico do Dwayne.

"E como estão os seus pais?", pergunto, e vejo as bochechas dele corando, ainda que de leve. Os pais do Ed sempre foram simpáticos, mas nunca achei que me aprovassem totalmente. A família de médicos, veterinários e professores universitários dele não chegou a abrir os braços para mim, alguém que queria viajar — mas acabou não indo muito além de Sainsbury na maior parte dos dias, e que passa a vida limpando a casa dos outros e cuidando da mãe. *Qual é o plano?*, a mãe de Ed, Helen, me perguntava de vez em quando, como se eu estivesse numa situação complicada, e não apenas tocando a vida.

"Estão bem. Muito bem." Ele conta do pai que se aposentou depois de quarenta anos, da mãe que parou de dar aula e ficou obcecada em organizar uma festa de setenta anos para o marido, dos irmãos. Menciona parques nacionais em Bornéu, clínicas particulares e prêmios.

"Nossa", eu digo, e penso em como essa é uma resposta típica dele. Factual. Focada em carreira e conquistas. Sem nenhuma informação sobre como eles de fato estão.

Tomamos o café em silêncio. Pego um pedacinho do meu sanduíche, ponho na boca e deixo que se dissolva. Não estou a fim de comer. É a exaustão, a adrenalina do agito da ambulância, de estar no hospital, da madrugada. Sinto como se tivessem me resgatado do fundo de um rio, e com certeza minha aparência é essa também.

"Foi estranho te ver", digo. "Na rua."

Ed assente, relutante, e olha para a caneca na própria mão. "É, eu sei. Faz muito tempo."

"Dois anos e dois meses."

"Você contou", ele diz, com um sorriso triste. "Não parece tanto. Acha que sim?"

Balanço a cabeça. *Às vezes parece uma eternidade e que foi ontem ao mesmo tempo*, quero dizer, mas não digo, e um o silêncio se assenta na nossa mesinha redonda.

Terminamos o café e voltamos para os corredores do hospital, que parece ter despertado completamente agora. Está lotado, com telefones tocando e o barulho das macas sendo empurradas. Enquanto andamos, fecho o casaco para esconder o desenho na minha blusa, que parece olhar para todo mundo da minha barriga, como um espião.

Um médico de passagem pega o braço de Ed e dá um tapinha nas costas dele.

"Ah, o fugitivo." Ele sorri. "Não gostou da Virgínia? Temos que botar a conversa em dia. Vamos tomar uma?"

"Claro." Ed ri, faz que sim com a cabeça e retribui o tapinha, com aquela masculinidade exagerada. O cara vai embora, batendo os sapatos no chão duro.

"Virgínia?"

"Vai entender", ele sussurra. "Deve ter confundido com o Oregon."

Ed pega uma tabela com os horários de visita na recepção e entrega para mim. Posso ir às nove. Depois de ver minha mãe, vou voltar para casa e dormir. Preciso disso. Estou meio cambaleante, como se tivesse tomado um pouco demais da cerveja caseira de Charlie.

"Como será que a Bel vai lidar com o fato de estar internada?", Ed pergunta, enquanto passo os olhos pelo papel na minha mão.

"Normal."

"É? Tá falando sério?"

"Ela tá melhorando. Fazendo mais coisas."

"Mesmo? Isso é ótimo."

Não sei bem por que menti. Imagino que para mostrar que as coisas mudaram e dar a impressão de que estão diferentes agora, de que *eu* mudei e não sou mais a pessoa que ele encarou enquanto puxava a mala da parte de cima do armário e me chamava de... do que foi mesmo? Refém. *Você é refém dos problemas dos outros*, Ed disse, furioso. *E o que me deixa realmente puto, Nell, é que você não tem absolutamente nenhuma motivação pra mudar isso. Ou tem? Olha, eu tentei. Tentei entender por que você insiste em cuidar de tudo. Mas...* Foi então que ele disse. *Tá ficando patético, Nell. Você tá se comportando de maneira patética, e eu acabo fazendo o mesmo.* Eu chorei. Ed chorou também. Ficamos os dois sentados na beirada da cama, com a mala vazia entre nós.

Nos despedimos diante do elevador. Enquanto as portas se fecham, ele diz "Comporte-se, Nellie", como sempre fez, e abre o sorriso largo que me dirigiu mil vezes antes. Uma imagem de Ed me vem à mente: ele com dezessete anos, lindo, com aquele mesmo sorriso do outro lado do corredor, enquanto Daisy revirava os olhos e eu me derretia ao lado dela. Quando vou embora, fico quase grata pela interrupção de pensamentos, sentimentos e emoções no caldeirão fervente que é meu cérebro. Parece que está tudo ali, felicidade, animação, medo, preocupação e todos os seus pares, borbulhando numa sopa confusa.

"Com licença. Srta. Butterby?"

Eu me viro. É a recepcionista com quem Ed falou.

"A médica gostaria de falar com você. Ali", ela diz, simpática. "Em particular."

A dra. Henry se senta na salinha com paredes azul-claras e luzes fluorescentes piscando sobre nossas cabeças, como fosse um cativeiro de filme de terror.

"Então a sra. Belinda Butterby é sua mãe", ela diz, olhando para a papelada que tem no colo. A calça elegante dela tem uma série de redemoinhos azul-marinho estampados, como Vias Lácteas.

"Isso."

"E você é a Noelle Butterby. Que mora na Levison Drive, número 8."

"Isso mesmo. Certinho."

Ela faz um único aceno rígido de cabeça. "Não é nada de mais. Mas temos algumas preocupações em relação à sua mãe que gostaríamos de discutir com você. Como é a saúde dela, de modo geral? Ela costuma ir a consultas médicas regulares?"

Confirmo com a cabeça.

"E geralmente ela parece bem? Sei que teve um problema no fígado, mas foi resolvido com uma mudança na medicação, certo?"

Confirmo de novo.

"Certo." A médica entrelaça os dedos. "Srta. Butterby, alguém da equipe de socorristas mencionou que a sua mãe teve um ataque de pânico por sair de casa, e testemunhamos o mesmo aqui, quando ela foi internada. Há algo que devemos saber? Pra poder ajudar?"

Faço uma pausa. Há uma resposta certa e uma resposta errada aqui, ou pelo menos haveria se minha mãe estivesse sentada comigo. "O que ela diz?", pergunto.

A médica hesita e se recosta na cadeira. Tem cabelo escuro e enrolado e pele negra. Deve ter minha idade, ou talvez seja um pouco mais velha. Algo no jeito tranquilo e na respiração lenta dela me faz querer contar tudo, despejar todos os detalhes e ficar só olhando enquanto ela recolhe e conserta tudo. Embora algumas pessoas na mesma posição já tenham tentado fazer isso, foi em vão. "Sua mãe disse que às vezes tem ataques de pânico."

"Sim. Ela tem, sim. Desde o derrame, perdeu a confiança e sai cada vez menos..."

"Você mora com ela?"

"Sim."

"Só as duas?"

"E o meu irmão mais novo, mas ele viaja bastante."

A dra. Henry assente e volta a se recostar na cadeira. "Acha que ela precisa de ajuda com a saúde mental? Com questões de ansiedade?"

Eu tentei. Inúmeras vezes. Liguei para o médico da minha mãe, a inscrevi em um programa público cognitivo-comportamental, encontrei fóruns dos quais ela poderia participar e cursos on-line que poderia fazer. Quando estava com Ed, cheguei até a falar com Tom, irmão dele, que me passou uma lista de coisas para tentar. Fisioterapia, ele sugeriu. Psicoterapia também.

"Eu tentei", digo à dra. Henry. "Ela... ela não acha que precisa de ajuda. Porque fica bem em casa. Tem uma rotina, cozinha, limpa, vê gente todo dia. Eu. O Ian, nosso vizinho. O meu irmão..."

"E... a cuidadora dela é você."

"Bom, não sou exatamente *cuidadora*, eu..." A médica fica esperando que eu termine a frase, até se dar conta de que não vou dizer mais nada. Ela assente e inspira fundo.

"Podemos conversar com a sua mãe sobre betabloqueadores que podem ajudar..."

"Ela não vai tomar. Não acha que precisa disso. É uma questão de confiança, como falei, que vem do derrame. Antes ela se mantinha o tempo todo ocupada. Era cantora e se apresentava em casas noturnas, parques, shows. Era até workaholic. Então tudo aconteceu e... ela meio que se perdeu."

"Entendo", a médica diz, assentindo. Ela se inclina sobre a mesa e me entrega dois folhetos. "Sua mãe está dormindo. Você pode entrar, mas ela permitiu que lhe déssemos algo para o sono, então talvez demore para acordar."

"Certo. Obrigada."

Ela olha para as anotações. "E você, está se sentindo bem?"

"Eu?"

"Sim..." Ela volta a olhar para os papéis, como se confirmasse meu nome. "Noelle. Como você está? Consegue lidar bem com tudo?"

"Sim. Sim. Tô bem."

"E a sua saúde mental?"

Meu coração, até então acelerado, para na hora. Como um coelho diante dos faróis de um carro.

"Estou vendo aqui que você..."

"Estou bem", eu a corto. "Estou bem agora."

A médica se demora na página que tem em mãos, então

101

volta a olhar para mim. "Certo. Então tá", ela diz, e eu me pego aliviada soltando o ar demoradamente. A dra. Henry não quer conversar mais. Posso ir para casa. Minha mãe pode ir para casa. Tudo pode voltar ao normal.

"Este é o número de uma linha de apoio, para a qual pode ligar se precisar de ajuda", ela diz, estendendo a mão e passando uma caneta com tampa pelo folheto que tenho em mãos. "Para você. Para sua mãe. Para o que for."

"Obrigada."

A médica abre um sorriso simpático. "Imagina."

A dra. Henry me acompanha até a porta e segue na outra direção, onde deve ter outra pessoa para consertar, interrogar e observar. Sigo pelo corredor em que vi Sam desaparecer horas atrás. Será que foi mesmo real? Será que tudo isso foi real? Está claro lá fora. Do outro lado das janelas grandes e quadradas, vejo o tom azul tropical do céu. Uma brisa primaveril entra pela fresta. Quando vi Sam, estava escuro, congelante e silencioso. O hospital parece um lugar completamente diferente agora.

Chego ao fim do corredor e empurro as portas por onde vi Sam chegar. É então que eu vejo. Um folheto amassado num banco. Quase não quero pegá-lo, mas é claro que pego. E não quero abri-lo, mas é claro que também faço isso. Porque ali está. O que rabisquei às três da manhã, "como antigamente", como Steve e Candice. Meu número de telefone, no folheto de doação de sangue que entreguei a Sam. Ele amassou e deixou jogado no banco, como se fosse lixo.

13

"Nossa, Elle, não consigo acreditar que ele estava no hospital."

"Eu sei."

"Tipo, entre todos os lugares no mundo, e na mesma hora."

"Eu sei!"

"O que será que significa?", Charlie pergunta, sem nem se virar, por isso sei que não está falando comigo. Está falando com Theo, que enche um pote grande de azeitonas recheadas do outro lado do balcão de vidro, com Petal em um *sling* preto no peito que lembra uma toga, por causa das argolas prateadas de um lado só.

"Acho que significa uma série de coisas", diz Theo, tranquilo. "Que eles estão no mesmo plano. Têm a mesma energia. Estão completamente alinhados. São atraídos um pelo outro, como ímãs."

Dou risada, enquanto seguro com as duas mãos a caneca de chá que Theo preparou. Vejo umas ervinhas flutuando que parecem mato, e não me atrevo a perguntar a respeito. "Quanto a isso não sei..."

"Ah, por favor...", diz Charlie. "Não começa, Noelle Butterby. Você sabe que significa alguma coisa." Ela come um *crouton* de pão orgânico de fermentação natural e depois direciona os olhos semicerrados para mim, como se examinasse minha alma. "Você vai se casar com esse cara."

Volto a rir, dessa vez mais alto. "Ah, bom, sinto muito em informar aos dois que não acho que isso vai acontecer."

"Com certeza vai."

"Ele jogou o meu número fora", digo, atirando as palavras como se fossem uma bomba. "Pois é. Isso aconteceu. Como se fosse papel higiênico e ele já tivesse limpado a bunda."

Charlie para de comer e fica segurando o garfo com um arco-íris de salada espetado nele. "*Quê?*"

"Dei o meu número pra ele no hospital. Anotei num folheto. E ele jogou fora."

"Como você sabe?"

"Encontrei o papel amassado e jogado num banco."

Charlie congela, com a testa franzida debaixo da franja sem corte. Os brincos dela, duas fatias de limão de plástico, balançam ao lado das bochechas rosadas. Ela se vira e olha para Theo, como se o marido fosse saber a resposta daquele enigma, mas ele não diz nada.

"Então", digo, roubando um *crouton*. "Ainda acha que vou me casar com ele?" Enfio a torradinha na boca e mordo.

Uma semana se passou desde o hospital, e já parece que nem aconteceu, e sim que foi algo da minha cabeça, como um estranho delírio em meio ao cansaço do sono febril às três da madrugada. Minha mãe entrando na ambulância. O café que tomei com Ed, usando aquela blusa de pijama ridícula. Ter visto Sam — *de verdade* — no meio da noite, no lugar onde menos seria de esperar. O folheto com meu número, amassado e jogado num banco.

"Mas por que ele jogaria fora?", Charlie pergunta. "Tipo... por quê? Não consigo entender."

"Medo", Theo diz, fechando a vitrine do balcão. "As reações mais adversas que temos são por medo."

"Ou uma namorada", sugiro. "Uma *esposa*."

"Ah, quem se importa com isso?"

"Ele, Charlie. Talvez ele seja uma pessoa decente, sabe?"

"Mas vocês... vocês se deram tão bem, Noelle", Charlie resmunga, não nos acompanhando na conversa. "Podem ser só amigos. Você não deu o seu número e pediu o cara em casamento, pelo amor de Deus..." Ela olha para mim. "Ou pediu?"

"*Não*", digo com uma risada.

"Bom, eu te conheço, e às vezes você acaba falando umas besteiras, principalmente quando tá cansada. Ou bêbada."

"Ou nervosa", acrescenta Theo.

"Bom, eu não pedi. Só disse que a gente devia manter contato."

"Então pronto." Charlie endireita o corpo como se tivesse resolvido a questão, e o folheto agora estivesse onde deveria estar, a salvo e dobradinho no bolso de trás da calça de Sam. "Manter contato é totalmente tranquilo. Seguro e simpático." Ela olha para Theo como se ele fosse o oráculo, e não o dono de uma delicatéssen grega. "Do que ele pode ter medo?"

"Bom, de muitas coisas", Theo diz, moderado.

"Talvez ele tenha sacado que eu estava meio que secando o rosto lindo e os ombros largos dele, imaginando como ele ficaria no topo de uma montanha, usando só pele de urso..."

Theo balança a cabeça. "Não, a gente nem percebe esse tipo de coisa", ele diz, com a mão na cabecinha curva de Petal. "Acho que é medo mesmo. É a sensação que eu tenho."

"Acho que a gente nunca vai saber." Dou de ombros. "Mas nem tudo naquela noite foi ruim, eu..." Paro assim que sinto as palavras subindo pela garganta. Quero contar sobre Ed, claro. Sempre conto tudo aos dois. Mas ainda não contei que o vi, porque sei que ninguém vai aprovar. Talvez minha mãe, já que ela sempre gostou dele. Mas as outras pessoas na minha vida colocaram diferentes rótulos nele, incluindo "tonto e covardão" (Charlie), "cabeça-oca" (Dilly) e "cretininho idiota. A gente ainda pode chamar os outros de cretino?" (Ian). Deve ter algum tipo de lei que determina que, depois que a gente não namora mais uma pessoa, ela vai ser eternamente lembrada e definida pelo comportamento que teve durante o término e tudo o que veio depois. O que ela fez antes não vale mais nada. Nem as lembranças felizes. Ou mesmo o amor que vocês tinham um pelo outro. Nada disso vale se a pessoa te deu as costas e te deixou chorando sozinha diante de uma taça de sorvete com uma quantidade constrangedora de balas de goma durante o que deveria ser uma despedida muito adulta na Pizza Hut. E foi assim que acabou. Sem lágrimas no aeroporto, sem soluços na cama, usando o moletom velho dele. Só com um "vamos nos encontrar no almoço pra comer uma pizza e dizer tchau", que acabou virando um "vai se foder" depois que minha mãe me ligou três vezes seguidas, Ed suspirou e eu achei que ele tivesse pedido uma pizza com molho *barbecue americano* só para fazer graça porque ia se mudar sem mim para os Estados Unidos. Ele foi embora. Eu comi demais e vomitei ao chegar em casa. Não teve nenhum adeus de partir o coração, como se vê nos filmes e como eu tinha imaginado que seria depois de termos passado doze anos juntos.

"Foi legal ter alguém comigo", eu digo agora para Charlie e Theo, "ainda que tenha sido rápido." Petal começa a chorar, soluçando levemente. Theo a tranquiliza e beija o topo da cabecinha dela, raspando a barba áspera nela.

"Acho que Sam vai voltar", ele diz, fazendo círculos com a mão nas costas da bebê. "Acho que ainda vai ter mais. Três é um número mágico. E o destino..."

"O destino...", repito, com uma risada que não tenho certeza de que vai convencer alguém. Era exatamente no destino que eu estava pensando quando vi Sam saindo pelas portas duplas. No formigamento da pele. No que quer que eu tenha sentido. Depois me senti como uma idiota, quando vi o folheto amassado. Me senti uma tola, uma inocente, uma iludida.

"Ninguém consegue evitar o destino", conclui Theo.

"Exatamente", Charlie diz, com um sorriso rápido. Ela se endireita e fecha a marmita. "Bom, preciso ir."

"Já?", pergunta Theo, por cima do choro cada vez mais alto de Petal.

"Tô com a agenda lotada hoje, amor." Charlie veste um casaquinho bege de tricô. "Tenho um cliente em cinco minutos. Vamos definir o esboço de uma tatuagem nas costas. Depois tenho outro para uma de braço inteiro. As duas complexas, dessas que dão trabalho."

"Ah. Achei que você tinha dito..." Theo faz uma pausa. "Esquece." Não consigo deixar de notar algo nos olhos dele quando se volta para a leve penugem da cabecinha de Petal. Decepção, talvez. Certa preocupação.

"Chego às cinco", Charlie diz a ele, enquanto pressiona a bochecha fria e maquiada na minha. "Tchau, Elle. Depois te mando uma mensagem sobre o cinema." Ela vai embora, fazendo o sininho da porta tocar e as pontas dos pôsteres fixados no vidro esvoaçarem com o vento.

Theo olha para mim, parecendo triste, e ficamos em silêncio por um momento.

"Tenho que ir também. Minha mãe precisa que eu compre umas coisas no mercado. Também vou procurar hortênsias. Quero testar um arranjo incrível que vi no Instagram."

"Gosto dos *seus* arranjos incríveis no Instagram. Adorei aquele com narcisos de algumas semanas atrás. Ficou lindo."

Abro um sorriso. "Obrigada, Theo. Vocês dois são sempre os primeiros a curtir as minhas fotos."

"Somos os seus maiores fãs", ele assente, orgulhoso. "E eu falei que o quiosque de café da minha mãe na estação tá disponível pra alugar, né? Comentei com a Char que podia ser uma banca de flores."

Olho para ele. "Bem que eu queria, Theo."

"É só pedir ao universo o que quer receber." Ele sorri, depois franze os lábios com uma careta, como se precisasse se forçar a dizer alguma coisa. "Noelle... a Charlie, hã... ela te parece normal?"

"Hum..." Hesito um pouco, olhando para o trajeto que Charlie percorreu ao sair. "Parece. Acho que sim. Por quê?"

Petal geme no peito dele, soltando os punhos do *sling* e fazendo carinho na barba de Theo. "É que ela... não sei, fico achando que tem algo rolando. A Charlie não parece a mesma em casa. A gente não... conversa mais como antes. Digo, eu tento, mas ela só diz que tá bem. E... ah, não sei. Só fico me perguntando se tem algo que ela não tá me dizendo."

"Sério?"

Theo dá de ombros, parecendo quase constrangido, e eu me lembro de como Charlie ficou feliz quando eles se conheceram e de como descreveu o primeiro encontro dos dois. *Ele é tão tranquilo e bonzinho, Noelle. Lembra Jesus ou alguém assim. O Ben Affleck, se ele fosse grego e tivesse se convertido ao budismo, sabe?*

"Ela tá sempre com pressa, chegando e indo embora", Theo continua explicando. "Disse que estava tranquila hoje, mas você viu... Saiu de repente, como se tivesse um incêndio. Fico preocupado que a Charlie não esteja contando alguma coisa. *Sinto* que ela não tá me dizendo alguma coisa."

"Talvez seja só cansaço. Da parte de vocês dois", digo, com cuidado. Vem à minha mente a imagem dela me perguntando na porta do estúdio: *Ainda sou aquela Charlie Wilde?* "Não sei muita coisa sobre bebês, mas vocês têm uma recém-nascida, Theo. Tudo é muito novo, tudo mudou, e... bom, você não seria o primeiro marido no mundo a se sentir desconectado da esposa dois meses depois do nascimento da primeira filha, né?"

Theo hesita, depois faz um aceno de cabeça rígido. "Tem razão. Talvez seja mesmo cansaço. Acho que acabei ficando meio paranoico, né? E um pouco distante?"

"*Com certeza.* Fora que privação de sono é uma forma conhecida de tortura. Isso te diz alguma coisa?"

Theo ri, e as sobrancelhas grossas dele se encontram. "Diz, sim, Noelle. Estranhamente, diz."

Enquanto ando até o carro, meio que esperando (e torcendo para) ver Ed ao passar pela estação de trem no caminho, deixo a mente viajar. E se a gente só estivesse precisando de um tempo? Não me parece irreal que alguém diga: *Meu namorado foi trabalhar no exterior, por isso terminamos, mas quando ele voltou dois anos depois, nos demos conta de que sentíamos falta um do outro. Como dizem, o resto é história!* Em seguida visualizo uma foto brega, estilo revista de fofoca, com Ed e eu rindo em um pomar ensolarado, usando chapéus de verão com abas largas. *Não.* Não, pelo amor de Deus, foi só uma conversa. Um café. De vinte minutos. Só que nem consigo acreditar em como fiquei nervosa ao vê-lo no hospital. Foi... *bom.* Como vestir um casaquinho velho e confortável, ou alguma coisa assim, algo que servia perfeitamente, mas que você perdeu e reencontrou, descobrindo que ainda cai como uma luva, o que te faz se perguntar como você pôde ficar sem aquilo por tanto tempo. Só que Sam me vem à mente sempre que penso no hospital, e isso me incomoda. Acho que por constrangimento. Vergonha total. Por que ele jogou meu número fora? Por que tive que agir daquele jeito? Daria no mesmo ter dito: *Hahaha, vamos fazer como o Steve e a Candice, que escreviam um pro outro e depois se apaixonaram e se casaram! Quem, eu? Não, não sou intensa, Sam, nem um tiquinho!*

Chego no carro e enfio a chave na porta. Não abre. Da última vez que isso aconteceu, Sam deu uma sacudida nela e abriu para mim, na estrada congelada, então mostrou aquele sorrisinho dele e... Congelo, com a mão na chave. *Aquela é...?* É, sim. Do outro lado da rua. Charlie. No carro, dirigindo na direção contrária ao estúdio de tatuagem onde disse que precisava estar cinco minutos atrás.

14

Quando chego do trabalho, encontro a casa cheia, cheirando a chá quente e fatias de pepino. O som do baixo faz as tábuas do piso vibrarem. Vejo Ian sentado à mesa da cozinha, comendo meio sanduíche de presunto em forma de triângulo enquanto lê um texto sobre veganismo em voz alta. Isso me lembra de como as coisas eram há alguns anos. Quando Dilly vivia em casa, Ian morava na porta ao lado e sempre tinha alguém entrando ou saindo daqui, de modo que a chaleira trabalhava sem parar.

"Eu não conseguiria, Ian", minha mãe diz, enquanto Ian olha para o iPad. "Não abriria mão da minha panqueca com manteiga de jeito nenhum."

"Hum." Ian assente. "Talvez dê pra fazer panqueca sem produtos de origem animal, Belinda."

"Ah", minha mãe responde. A muleta que o hospital recomendou que ela usasse está apoiada na bancada da cozinha. "E bacon? Ah, Noelle! Oi, querida. Estamos tomando um chá e comendo um sanduíche. Você quer? O Ian trouxe um presunto delicioso. Daquele homem na esquina."

"Colin", Ian diz. "O lugar chama Meat Man Plc. Boa tarde, Noelle."

"Oi. Quero um sanduíche, sim." Tiro a jaqueta jeans,

deixo no encosto da cadeira e me sento. "Mas tem certeza de que você pode fazer? A sua perna..."

"Não, não", minha mãe diz. "Dizem que a gente tem que se mexer, senão fica tudo duro, e Deus sabe que já tenho problemas o bastante. Não quero ter que voltar lá, toda travada. Quem sabe o que fariam comigo?"

Desde o hospital, Ian tem aparecido mais vezes, e eu adoro isso, adoro tê-lo em casa. No outro dia, ele ficou até as nove e ajudou minha mãe a se deitar. Fiquei vendo os dois subindo devagar os degraus estreitos do nosso sobradinho, o braço dele a segurando carinhosamente, e senti um aperto no coração. Ed tem razão. Ian é mesmo apaixonado por ela. Às vezes me pergunto se minha mãe não faz ideia ou se está ciente disso, mas tem medo de encarar o fato de que ele a ama por tudo o que ela é, e não por tudo o que ela foi, ou pela ideia de quem ela poderia se tornar. Quando Ian veio nos contar sobre Pam, achei que minha mãe diria algo a ele, porque realmente acredito que ela o ama também. Só que ela não disse nada. Entrelaçou os dedos e sorriu como uma apresentadora de um programa de perguntas e respostas, então agarrou um pano de prato como se fosse o pescoço de um arqui-inimigo e falou que estava feliz por ele. Depois negou que tivesse se desfeito em lágrimas ao assistir a *Coronation Street* aquela noite e que as seis fatias de torrada que comeu durante o programa por puro estresse se devessem a qualquer outra coisa além do roteiro excelente, dizendo: *Não se pode mais comer nem uma torrada na própria casa sem ser analisada?*

"Ele é botânico de formação, acredita?", Ian comenta agora, deixando a casquinha do pão no prato. "Mas me disse que trabalhar com carne era uma das poucas coisas que ele sentia que podia fazer quando saiu da prisão."

"Desculpa, mas quem?"

112

"Colin."

Olho para ele sem entender, então minha mãe diz: "O cara que vendeu o presunto pro Ian".

"O dono da Meat Man Plc", Ian acrescenta.

Ian conhece tudo e todos na cidade. Morou aqui a vida toda. Trabalhou como professor de geografia na escola local, mas se aposentou cedo e passou a preencher o tempo com as patrulhas de vigilância do bairro e assistindo a tutoriais no YouTube sobre qualquer assunto, desde colheita de pepinos até como ser assertivo quando se faz uma reclamação em um hotel de luxo, apesar de não se hospedar em lugar nenhum há vinte e dois anos. Nunca pensei que ele poderia se mudar da casa ao lado — e que deixaria para trás o orgulho e a alegria de uma casa imaculada, em que tudo tem seu lugar. Nunca pensei que ele deixaria minha mãe. Mas o que foi que Ed disse mesmo? Não se pode esperar para sempre. E talvez Pam tenha aparecido bem quando Ian desistiu de esperar.

"Não sei por que ele foi preso", Ian prossegue. O zumbido do baixo vindo do andar de cima para abruptamente. "Mas eu disse pra Belinda, sua mãe" — Ian sempre fala assim, como se precisasse me lembrar de quem ela é —, se eu fosse do tipo que aposta, diria roubo. Parece bem o perfil, sabe? Tem os olhos juntos demais."

Minha mãe confirma com a cabeça, séria, enquanto passa manteiga em duas fatias de pão na bancada. Ouço passos descendo a escada. "Ah, isso é bem verdade", ela diz.

"Acho que não", eu rio. "Quer dizer, se a gente para pra pensar, os olhos do Dilly são meio..."

"Hum? Estão falando de mim?" Dilly chega à porta, com o baterista Dwayne logo atrás, vestindo um gorro preto de lã que quase lhe cobre os olhos. "Ah, é de presunto? A gente quer também, né, cara? Storm adora sanduíche."

Como se estivéssemos no meio de um anúncio publicitário, para a minha surpresa e aparentemente de mais ninguém, Dwayne diz: "Presunto do Meat Man Plc? Esse é dos bons. Quero um, sim".

Os dois entram e se jogam nas cadeiras. Minha mãe passa manteiga em mais pães. Dilly e Dwayne (ou Storm, já que ele assumiu de vez a persona artística e/ ou ficou maluco) já devem ter integrado quase uma centena de bandas juntos desde a escola. A Five Catastrophes é a mais recente delas. E é surpreendentemente boa. Imagino que seja isso que anos de obsessão absoluta, ensaios e lágrimas em shows de rock fazem. Dilly já fez até jejum por trinta e seis horas — "como Gandhi", ele disse — por causa do Iron Maiden.

"Ah", minha mãe diz. "Noelle, o Ian tem algo pra te perguntar. Não é, Ian?"

Dilly tira o prato da minha mãe antes que eu tenha tempo de estender a mão para pegá-lo. Depois ele sorri e o passa para mim, levantando as sobrancelhas do outro lado da mesa como quem diz: "Brincadeirinha". De repente, não quero mais comer. Reconheço a expressão da minha mãe: os olhos ávidos e os longos intervalos sem piscar...

"Ah, sim. Claro." Ian entrelaça os dedos, como se fosse um âncora de telejornal. "Você conhece Farthing Heights, Noelle?"

"Não", eu respondo ao mesmo tempo que Dwayne fala de boca cheia: "Ótimo livro."

"Não, esse é *Wuthering Heights*. *O morro dos ventos uivantes*. Veja bem, Farthing Heights é um conjunto residencial a caminho de Newham Park. Jogo squash com um cara chamado George que mora lá. Ele disse que o vizinho Frank está procurando uma faxineira. Pensei em você, obviamente."

Os olhos da minha mãe estão fixos em mim. Assinto,

com as mãos no prato à minha frente, mas meu coração se despedaça com as últimas palavras. Porque já estou trabalhando muito, quando não estou faxinando faço coisas para a minha mãe, e desde que ela machucou a perna sobram mais tarefas domésticas para mim. Eu queria começar um curso on-line que encontrei, de arrumação de mesa de jantar, mas não tenho tempo. Queria ter me encontrado com a Candice numa feira de casamentos na semana passada, mas não consegui. Charlie e eu tínhamos combinado de ir ao cinema ver um filme em preto e branco, mas acabou não dando, porque saí tarde demais do trabalho. Sinto que meu tempo livre escorre pelos dedos, e rápido demais no momento.

"Não sei muito bem o que aconteceu, Noelle", Ian prossegue, "mas ele tem que se mudar, e antes precisa de ajuda pra limpar a casa. É um senhor de idade."

"Você tá acostumada com idosos, né, querida?", diz minha mãe, esperançosa. "Tem a Betty, pra quem você faz faxina de vez em quando. Você leva jeito com eles, não acha?"

Dilly ri sozinho, ainda mastigando. *Leva jeito com eles*, ele articula apenas com a boca.

"Eu disse que conhecia a pessoa certa", Ian volta a falar, animado. "E que ele não ia encontrar ninguém mais confiável e diligente nem se procurasse em toda a Inglaterra."

"Ah." Abro um sorriso fraco. "Obrigada, Ian. É... fico feliz que tenha pensado em mim, mas..."

"Imagina."

"Mas tô tão sem tempo... No momento só tenho as terças e os domingos livres."

"Ah." Ian pensa no que falei e assente devagar, com a cabeça se movimentando como uma bexiga ao vento. "Hum. Certo. Claro que entendo, Noelle. Bom, não tem problema."

Minha mãe não diz nada, só se vira, abre a torneira e começa a encher a pia de água. Sinto algo se espalhando no ar, como uma nuvem densa, ameaçando explodir e atingir todos nós. A preocupação. A expectativa. As palavras não ditas. *Estamos sem dinheiro. Fico acordada a noite toda, não consigo dormir, e tem um trabalho disponível, Noelle. Um trabalho pago.* Queria que minha mãe olhasse para Dilly da mesma forma. Mas ela não olha, porque é Dilly. O bebê dela. Dilly, a noz. Ela não quer preocupá-lo. Fora que ele está seguindo o próprio sonho. Fazer turnê como músico. E eu, o que estou fazendo? Além de brincar com flores em promoção e assustar guias de escalada em salas de espera?

"Você sabe pra quando precisam de alguém?", acabo perguntando.

Ian tira os olhos do iPad, surpreso. "Ah. Sim. *Pra ontem*, foi o que o George disse." Ele ri sozinho.

"Pode dizer que talvez dê", digo, enquanto Dwayne e Dilly devoram os sanduíches como hienas e mexem no celular.

"Amanhã eu falo com o George." Ian toca na tela do aparelho. "Pronto. Coloquei um alarme. O iPad tá ligado no meu *smartwatch* e vai me lembrar de falar com ele quando estivermos descansando depois do jogo."

Minha mãe sorri para Ian. "Boa ideia. O lanche tá bom, meninos?"

"Delicioso, mãe." Dilly mastiga. "Que loucura pensar que o açougueiro já foi preso."

"Roubou um pub", diz Dwayne. Ian solta um gritinho, como se tivesse feito bingo.

"Roubo! Não consigo acreditar. Eu acertei, Belinda. Na mosca."

15

Levo um tempo para encontrar a entrada certa para o apartamento no Farthing Heights. Quando consigo, estou agitada, suada e nervosa por já ter estragado tudo nessa *entrevista de emprego* para um trabalho que eu nem queria, para começo de conversa. O filho de Frank supostamente está esperando por mim lá, no sétimo andar. Entro no elevador e fico esperando pelo que parece um século até que a porta se feche. É como se a porta soubesse. *Pensei que você quisesse investir seu tempo livre naquele curso de floricultura on-line*, ela parece dizer. *Vou ficar aberta mais um pouco pra te dar a chance de ir embora.* Não me movo. Ela se fecha. O elevador começa a subir lentamente.

Ed e eu vimos um apartamento assim em um conjunto residencial parecido faz uns sete anos, quando ele se formou em medicina. Enquanto o corretor de imóveis verificava as horas e as luzes do elevador piscavam acima da gente, Ed me olhou de lado e sussurrou: "Tomara que o apartamento seja melhor que o elevador, hein?". Só que não era. O chuveiro ficava quase em cima da privada, a sacada era só uma janela que dava acesso a um quadradinho do telhado que parecia de amianto, e todos os cômodos cheiravam a batata crua, principalmente o quarto, que tinha um espelho gigante no teto. Seguramos o riso durante toda a visita, e soltamos uma gargalhada assim que o corretor foi embora.

"*Sei que a mancha no carpete desanima um pouco*", Ed disse no caminho para casa, imitando o corretor enquanto apertava minha mão. "*Mas um bom tapete resolve tudo!* Não, cara, desculpa. Um tapete *não* resolve tudo." Encontramos um lugar melhor algumas semanas depois. Mais limpo e moderno, embora ainda pequeno. Tudo, absolutamente *tudo*, pareceu possível no dia em que fizemos o depósito. Um ano. Foi tudo o que tivemos até eu voltar para casa. Agora pego o celular enquanto o elevador sobe. Devo responder à mensagem dele? Ed tinha me escrito logo depois do café no hospital. *Foi bom te ver, Nell. Espero que a sua mãe esteja bem.* Não respondi. Desde então, escrevi inúmeras respostas, umas tantas por dia. Mas deletei todas antes de enviar. Fico olhando para o nome de Ed na tela, então guardo o celular de volta na bolsa.

Quando o elevador se abre, sou recebida por um cheirinho de alho e desinfetante recém-passado. O apartamento de Frank, 178A, fica bem na frente da entrada, como Ian disse. O silêncio é total. Não ouço a tv nem música tocando. Daisy morou em um prédio parecido a algumas ruas daqui, e eu sempre ouvia alguma coisa quando me aproximava da porta. O barulho das panelas e frigideiras da mãe cozinhando, música vindo do quarto da Daisy, o som dos programas de auditório de sábado à noite a que o pai assistia quando voltava do trabalho. Mas não ouço nada aqui. Bato na porta e sinto a madeira dura nos nós dos dedos.

Por um momento, fico achando que não tem ninguém. Então escuto o trinco sendo puxado do outro lado. A porta abre com tudo.

"Sam."

"Noelle."

16

Puta merda.

Minhas mãos voam para o rosto. É a primeira coisa que faço. Além de arfar tão audivelmente que pareço uma personagem de desenho animado. Então Sam e eu gargalhamos juntos. Acabo resfolegando sem querer, o que só nos faz rir mais.

"Você estava me espe...?"

"*Não*", ele diz.

"Nossa, isso é..."

"Muito louco." Sam dá risada, com uma mão no queixo. "O que você tá fazendo aqui?"

Olho para ele, depois para os números de latão com marcas de ferrugem na porta. "Hum. É o 178A, né?" Pela expressão, sei que ele entende tudo quando digo: "Frank?".

"Ah. *Ah*. Claro."

"É. Sou eu, a faxineira. A seu serviço. O Frank deve ser seu...?"

"Meu pai", Sam confirma com um aceno firme de cabeça. "O apartamento é dele."

Então tudo se encaixa, como num quebra-cabeças. O hospital. O pai doente. Claro. O *folheto* amassado no banco volta à minha mente, como um convidado indesejado numa festa, e eu cruzo os braços, como se me protegesse. *Pois é*, tenho vontade de dizer, *lembro que você mencionou seu pai antes de limpar a bunda com meu número.*

"Quer entrar?"

"Acho que é melhor, certo?"

Sam abre passagem e eu piso no carpete fino verde-escuro. Contra minha vontade, meu coração bate acelerado, como se fosse saltar do peito e ricochetear pelo corpo. Como isso pode ter acontecido... *de novo?* Theo diria que é o destino e que somos como ímãs. Será mesmo? Tem alguma força estranha agindo? Se continuar assim, vou acabar abrindo meu próprio retiro de reiki. Mas vê-lo na sala de espera do hospital no meio da noite, e vê-lo hoje... Charlie e Theo insistiriam que não é coincidência. Mas... por quê? Qual pode ser o propósito disso tudo? Sam não está interessado em ser meu amigo e "manter contato" comigo mandando uma mensagem ou um e-mail de vez em quando. Que isso continue acontecendo é quase uma tortura, uma piada. Principalmente considerando que ele não queria que nos encontrássemos uma terceira vez. O cara literalmente jogou meu número fora para garantir que isso não acontecesse. O que faz disso não um feliz acaso, mas um *puta constrangimento*, como Dilly diria.

Sigo Sam pelo apartamento grande e antiquado. Há caixas e objetos empilhados, montes de papéis e torres de livros, que lembram as pilhas oscilantes de pedras que as pessoas fazem na praia. Paramos lado a lado na entrada da sala de estar. Nossos braços se tocam, e meu coração dispara de novo, como um cavalo descontrolado. Tudo o que eu queria era poder relaxar.

"Então", ele diz. "Eu, hum, sei que parece uma loucura..."

"Bota loucura nisso, Samuel."

Ele hesita, com a mão no queixo, sem olhar no meu rosto. "Eu, hã, estava falando do apartamento."

120

"Ah. *Ah*. É, acho que é um pouco."

Um silêncio doloroso e desconfortável se segue, até que Sam pigarreia e entra na sala lotada — um espaço quadrado com mais livros e papéis amontoados e o vislumbre de alguns centímetros do tampo de uma mesa de jantar redonda, por causa de todos os objetos dispostos nela. Só falta a placa de "família vende tudo".

"Bom, meu pai. Ele precisa se mudar. Para algum lugar no térreo em que ele consiga se virar sem elevador."

"E como ele tá? Desde o hospital?"

Sam assente, olhando mais em volta do que para mim. "Ele... bom, ele tá melhorando. A queda foi feia. Ele tem dificuldade de locomoção, por causa de uma artrite severa que deu uma boa piorada no ano passado. Não sei, meu pai é meio... difícil. Mas, sabe como é, isso não tem nada a ver com a doença. Ele sempre foi difícil."

"Sinto muito."

Sam dá de ombros. "Não somos muito próximos, então..."

"Sério?"

"É. Ele é o clássico pai negligente de merda."

"Ah."

"Pois é."

Isso é *muito* desconfortável. Estou fazendo tanta força para me controlar que preciso ficar verificando o tempo todo se meus dentes não estão visivelmente cerrados, como os daquele emoji com sorriso constrangido. Cada hora no carro na estrada, a longa caminhada que demos (imaginando um parque no Quebec) e a sala de espera do hospital — nada disso foi assim. Agora o desconforto é doloroso e tem um climão no ar. Eu certamente não teria passado mais tempo que o necessário no carro dele se me sentisse assim. Teria preferido tentar carregar meu celular com a energia da lua.

Mas não foi o caso. Aquelas horas pareceram... cheias de vida. Vibrantes. Elétricas. Agora é diferente. Tudo é angustiante, controlado e tenso, como se estivéssemos em uma sala cheia de armadilhas escondidas.

"Vou te mostrar a cozinha", Sam diz brevemente, e eu assinto e o sigo pela sala cheirando a mofo.

Talvez ele tenha achado que eu estava empolgada demais. Pode ser que só estivesse sendo legal na estrada, tentando tirar o máximo proveito de uma péssima situação. Talvez ele seja casado. Ou de repente é apenas um babaca mesmo. Se qualquer uma dessas coisas for verdade, é claro que ele jogaria meu número fora. E talvez esse climão seja uma maneira de me dizer: *Tá, foi legal e tudo mais no carro, a gente passou uma noite divertida juntos, até porque sabíamos que não passavam de algumas horas estranhas e congelantes, e depois nunca mais nos veríamos. Mas tenho uma namorada linda, inteligente e sofisticada, e um trabalho interessante, diferente e sofisticado, não preciso de uma nova amiga, definitivamente não de uma que fica vermelha sempre que respiro na direção dela. Já tenho o bastante disso na minha vida movimentada e plena de viajante das montanhas que veste uma pele de urso.* Acho que eu até entendo. A situação no carro foi quase surreal. Uma bolha fora da realidade. O hospital e agora isso... são a vida real.

Ficamos em silêncio de pé na cozinha. O aquecedor colado na parede faz barulho. Uma geladeirinha branca zumbe debaixo da bancada.

"Então", rompo o silêncio constrangedor. "Você quer que eu arrume a bagunça? Que organize tudo para que você possa levar? E depois limpe para os futuros proprietários?"

"Exatamente. É bastante trabalho, e tem bastante coisa pessoal. Imaginei que uma empresa de mudança normal viria e empacotaria tudo de qualquer jeito. O cara pode ser um babaca, mas merece que as coisas dele sejam tratadas com dignidade."

Olho para a cozinha. É grande, considerando que se trata de um apartamento de dois quartos, mas está lotada de coisas e com as gavetas transbordando. É a casa de um acumulador, mas não é tão ruim quanto mostram na TV. Só parece que ninguém arruma o lugar faz vinte anos. Há potes de vidro na despensa que poderiam trazer os anos 1970 de volta.

"Quer que eu te mostre tudo?", Sam pergunta. "Sem pressão. Se você achar que não é trabalho pra você ou..."

"Não. Não, pode me mostrar tudo."

Passo um tempo ali com Sam, no apartamento entulhado de Frank. Tem dois quartos, um banheirinho verde-oliva e uma sacada. Dá para ver as construções cor de areia do centro de Bath à distância, que não sei se já tive a oportunidade de ver assim do alto. No céu azul daquele dia de primavera, a vista é idílica. Grandiosa. Imponente e histórica. Sam fica em silêncio enquanto me mostra tudo. Só me diz que os pais se separaram logo depois que ele nasceu, que a meia-irmã e a mãe moram no Oregon e que ele não é próximo do pai, que nunca fez nenhum esforço para isso — Frank nunca se importou com o filho, segundo Sam. "Só que ele não tem mais ninguém. Foi assim que sobrou pra mim."

Quando ele diz isso, meu coração se parte, ainda que contra a minha vontade. *Você é uma boa pessoa*, quero dizer. *Não foi à toa que senti que você me entendia quando falei sobre a minha mãe e sobre ser a base de sustentação dela. Você sabe o que é isso.* Mas não digo nada. Porque parece que tem uma cerca elétrica invisível entre a gente agora e que se eu chegar perto demais e der um passo adiante, posso levar um choque e ser jogada para trás. Sam mantém a guarda alta. Talvez preferisse que não fosse eu a faxineira. Que eu não tivesse me metido na vida dele de novo, ainda que por acaso, ainda que sem querer.

"Você fica com ele quando vem pra cá?"

Sam balança a cabeça. "Tento manter distância. Ficar em hotel e tal. Agora que tô no País de Gales, simplesmente volto pra casa. Quando era adolescente tentei morar com ele uma ou duas vezes. O máximo que consegui ficar foram quatro meses. Não foi fácil. E olha que já vivi *em todo canto*."

"Nas montanhas geladas", digo, e vejo a sombra de um sorriso.

Depois que ele me mostra tudo, voltamos à porta da frente, e fico surpresa quando Sam a abre e me dá passagem, como se me convidasse para me retirar depressa.

"Sem pressão. Pra aceitar o trabalho, digo." Ele continua com a mão na porta, e eu fecho mais meu casaquinho, ambos como se fossem boias salva-vidas. Dá para ouvir o relógio de mogno com um barco no mostruário tiquetaqueando na parede do corredor.

Não quero aceitar. De verdade. Ainda que o dinheiro venha a calhar — e *muito*. Só que ao mesmo tempo, apesar do desconforto e tudo mais, contra meu lado mais racional, quero aceitar. Por Sam. Não acho que eu consiga dizer não, dar as costas e ir embora.

"Eu aceito, sim."

Ele abre um sorriso relutante e leva a mão ao queixo quadrado. "Legal. Que tal começar... não na semana que vem, na outra?"

Faço que sim. "Posso vir às terças?"

"Pode ser", Sam diz, pegando o celular. "Me passa seu..." Ele olha para mim, parecendo se dar conta do que está dizendo. "Número."

"Noelle!"

Já estou saindo de Farthing Heights rumo ao sol quente de maio quando ele chama meu nome. Sei que é ele antes mesmo de me virar. Quando o faço, Sam está no concreto, alto e forte, com os olhos castanhos apertados por causa da luminosidade. Parece verão — com o céu azul, a grama verde e as cores no jardim lembrando boás de plumas —, e não consigo evitar perceber os braços bronzeados de Sam aqui à luz do dia.

"Você anda rápido", ele diz, sem fôlego.

"Desculpa. Tá tudo bem? Quer mudar a data que combinamos ou...?"

"Não." Sam balança a cabeça e se aproxima, diminuindo o espaço cinza entre nós. "Não, terça tá bom. É que... o seu telefone..."

Ah. Uma careta tinha permanecido no rosto dele enquanto eu adicionava os dígitos ao celular na porta do apartamento. Quando a vizinha do 178B saiu e perguntou a Sam como o pai dele estava, aproveitei para me despedir e ir embora, grata por ter sido salva pelo gongo. Eu queria beijar a mulher por ter nos interrompido.

"Não peguei seu número", Sam diz agora, com culpa, enquanto uma brisa sopra no cabelo escuro e macio. "No hospital."

"Eu sei."

"Eu queria pegar, Noelle", ele diz, baixo, "queria mesmo." Os ombros dele relaxam quando diz isso, como se um fardo finalmente sumisse. Ao mesmo tempo, meu corpo se tensiona. "Eu queria te ligar, te mandar uma mensagem. Nem conseguia acreditar que a gente tinha se reencontrado. Tipo, eu esperava que acontecesse, de alguma maneira, e sei lá como..." Meu coração acelera enquanto olho para ele, para aqueles olhos cor de açúcar queimado, aqueles cílios pretos e grossos. Ele sempre está bonito. É uma dessas pessoas que nem precisa tentar. Hoje só está usando jeans e camiseta. Os braços musculosos são contidos pelas costuras das mangas. *Fala de novo como ele é alto e forte*, Charlie me pediu algumas semanas atrás, e eu disse que achava que Sam poderia me carregar como se não fosse nada. Diferente do Aaron, o cara com quem eu tinha saído logo depois de Ed, para ver se me sentia melhor. A gente estava no chão da sala dele, vendo um filme, até que, em um ato de paixão repentino que provavelmente tinha sido tirado de um drama de época da Netflix, Aaron tentou me levantar — só que parecia mais que estava tentando erguer sozinho um contêiner.

"Quando eu te vejo", Sam continua falando, e a testa dele se franze, como se tentasse entender algo. "Não sei, é... difícil de explicar."

Meu coração martela dentro do peito. Ele sente o mesmo. Deve sentir. Deve experimentar a mesma sensação estranha. Talvez seja o destino. Talvez eu esteja mesmo fadada a ficar com Sam. Talvez ele saiba...

"Mas estou com alguém, Noelle."

Eu encaro Sam.

"Por bastante tempo, não estava. Mas estamos... tentando. Consertar as coisas. Não sei se é certo, mas... estamos juntos desde os dezenove anos e..." Ele dá de ombros e olha para mim. "Não pareceu certo pegar o seu número."

E, apesar da sensação horrível no meu peito, apesar da dor que ele desencadeou no meu estômago, me sinto estranhamente satisfeita. Ele é uma boa pessoa. Foi por isso que jogou o folheto fora. Não porque não queria me ver nem manter contato ou porque achasse que eu era uma *stalker* doida disfarçada. Ele tem namorada. Sam tem namorada.

"Eu entendo. Bom, você sabe que entendo. Não parei de falar de Ed no carro."

"O pediatra", Sam diz, com um sorrisinho melancólico.

"Exatamente."

"Acho que comigo e com Jenna é parecido. A gente se conheceu ainda na faculdade. Em Amsterdã. Os dois americanos, viajando. Eu tinha perdido uma pessoa próxima e estava mal. Então nos conhecemos. E..." Sam balança a cabeça de repente, como se tentasse sair de um transe, e ri. "Não sei onde tô querendo chegar com isso..."

"Você acha que deve alguma coisa a todos os anos que passaram juntos."

"É. É, acho que é isso." Sam assente, enfia as mãos nos bolsos, olha para mim e ri.

"O que foi?"

Ele balança a cabeça e abre um sorriso rápido, revelando as covinhas e os dentes brancos e fazendo minhas pernas fraquejarem, o que é irritante. "Nada. É que... você sabe mais sobre mim do que pessoas com quem trabalho há uma década."

"Trombamos um com o outro, temos colapsos emocionais, falamos como se estivéssemos num confessionário... é o que fazemos."

NOELLE

Ed, obrigada de novo por ter ido mais cedo pro hospital aquele dia. Minha mãe já tá bem e em casa! Quer tomar um café? Posso te encontrar depois do plantão. Bjs!

17

Ed e eu ficamos sentados um ao lado do outro, no banco de fora da estação de trem, cada um segurando um café cremoso e quentinho nas mãos. Comprei no quiosque fofo dos pais do Theo, enquanto esperava Ed chegar. Eles são donos do lugar há anos, mas agora querem se aposentar e passar mais tempo com a família em Atenas. A mãe do Theo, Yolanda, me contou que eles estão tendo dificuldade com a imobiliária na tentativa de passar o quiosque para a frente e comentou que ela já não gosta mais tanto do trabalho. Enquanto ela punha leite nos cafés e atendia outros pedidos, eu sonhei por um momento com como seria ser proprietária daquele quiosque, como Theo tinha sugerido. Minha própria banca de flores. Imagina só. Mas sonhar era quase doloroso demais, e fiquei grata quando o trem do Ed chegou. Yolanda me passou as bebidas, depois se inclinou para dar um beijo em cada bochecha.

Agora estamos sentados aqui, sob os raios de sol quentes e cor de mel, mal tendo tempo de respirar. Falamos de amenidades, como o clima, o sol quente e o trabalho do Ed. Depois passamos para a perna da minha mãe, Dilly, Charlie. E não conseguimos parar. São tantas lacunas para preencher, tantos buracos no calendário para atualizar. Ed e eu sempre nos demos bem, então não sei por que eu achei que seria estranho ou desconfortável. Foi assim que tudo começou, na escola. As conversas intermináveis no ponto de ônibus, enquanto Daisy ficava no celular. Eu obcecada com as coisas que ele dizia e o modo como ria, enquanto ela zombava e revirava os olhos. Senti falta disso. De verdade. Da conversa fácil e familiar sobre o mundo que ambos compartilhamos por tanto tempo.

"Charlie com uma bebê", diz Ed. "Na minha cabeça, ela ainda dorme com roqueiros e tenta me levar pro tantrismo. Contei que meu irmão Tom vai ter um bebê também?"

"Sério?"

"Pois é. Em outubro. A Layla já saiu de licença maternidade. É difícil operar as pessoas vomitando. Ela tá com hiperêmese gravídica."

"Como?"

"Náusea e enjoo graves. Está sendo difícil pra ela."

"Nossa. Parece terrível. Coitada."

"Minha mãe tá inquieta. Fica indo lá o tempo todo. A família toda tá à espera do nascimento." Ed abre um sorriso luminoso, e sinto algo queimando dentro de mim. *Inveja?* Talvez. Não que Layla não fosse fofa comigo. Ela era. Até me chamava de cunhada, o que eu adorava. Mas talvez o problema seja esse vislumbre do que poderia ser se as coisas tivessem sido diferentes. Mas será que os pais de Ed me tratariam como tratam Layla? Com atenção e carinho, esperando ao lado do telefone? Sempre me senti incompleta à mesa de jantar deles. Médicos. Veterinários. Irmãos sempre em Bornéu, salvando leões e bichos-preguiça. A última viagem do meu irmão foi para Hull. Ele passou o fim de semana no trailer da avó de um amigo e pegou um cara que se fantasiava de pug para as crianças do parque. Sempre me perguntei como os pais do Ed reagiram ao nosso término. Provavelmente ficaram felizes por não termos nos casado e recebido os trinta mil que todos os casais McDonnell recebem. Melhor guardar a grana para quando Ed conhecer uma médica, ou para aquela bailarina ridícula com quem a mãe sempre queria que ele falasse nos casamentos e festas. *Ed, você viu que Felicity está aqui? Acabou de voltar de Praga e está linda.* Eu sempre tinha que lutar contra a vontade de dizer: *Você viu que eu, namorada do seu filho há dez anos, estou aqui também?*

"Vamos dar uma volta?", Ed me pergunta agora, e nos levantamos. *Vamos dar uma volta?* É como um casaquinho antigo e confortável em que meus braços entram com toda a facilidade. Quantas vezes na vida ouvi essa frase? Nos feriados juntos, nas manhãs preguiçosas de domingo na cidade, ao sair de cafés, com o sol batendo nos paralelepípedos e o dia à nossa frente.

Ed e eu deixamos a estação para trás e caminhamos pela cidade, com o céu azul marcado por nuvens peroladas e o som distante dos sinos da igreja trazido pela brisa. Meu celular vibra dentro da bolsa. Minha mãe. É a terceira ligação dela que não atendo. Recebeu uma carta do hospital. Querem dar uma olhada na perna e verificar como o osso está se recuperando, mas ela não quer ir. *Liga pra eles, Noelle,* minha mãe disse, desesperada, quando eu saía para trabalhar esta manhã, como se tivesse recebido uma mensagem de sequestradores, e não uma carta do sistema de saúde. *Diz que estou bem. Você não vai esquecer, querida?*

Ed baixa os olhos para o celular na minha mão. "Tudo bem?"

"Tudo." Mando uma mensagem rápida para ela. *Está tudo bem? Ligo pro hospital assim que puder.* É claro que ela esqueceu que eu ia encontrar Ed. Na verdade, eu só disse que ia encontrar um amigo.

"Sua mãe?"

Volto a guardar o celular na bolsa. "Tá tudo bem", insisto. "Podemos passar pelas flores?"

Ed revira os olhos, mas sorri carinhosamente. "Tenho escolha?", e nos viramos para entrar no calor intenso do mercado da cidade. "Vou sair daqui carregado?"

"Claro. É tradição."

Ed ri e mexe nos cachos cor de caramelo. "Verdade."

Fico pensando no que Sam disse sobre Jenna e os anos que passaram juntos. Jenna é o Ed dele. Não sei o que é exatamente esse lance com Ed, só sei que é gostoso. Como um cobertor nos meus ombros, ou o casaquinho confortável. Seguro, natural e familiar.

"Você chegou a fazer o curso? De meio período como florista? Naquele lugar no centro?", pergunta Ed, enquanto passeamos pelas barraquinhas do mercado. O cheiro forte de caramelo nos atinge com uma lufada quente e enjoativa quando passamos pela barraca de doces, os raios de sol fragmentados pelas fileiras de potes de vidro.

"Ainda não fiz."

"Por que não?" As perguntas de Ed são sempre assim. Curtas, diretas, preto no branco, sem rodeios. Provavelmente discutíamos mais por causa desse jeito dele do que por qualquer outra coisa. Ed é franco. Vai direto ao ponto, ao cerne da questão. Talvez isso o ajude a ser um bom médico. Mas a franqueza dele parece falta de sensibilidade às vezes. *Por que não contratar um cuidador pra ela?*, ele dizia sobre a minha mãe, como se ela fosse um problema a ser consertado, tal qual um vazamento que precisa de um encanador. *Por que você sente que é* você *quem precisa ficar? O que você realmente quer da vida, Nell? E aí? É uma pergunta simples.*

"Ainda não consegui. Tenho muito trabalho, mal me sobra um minuto..."

"Por causa da sua mãe?" Ele ergue as mãos, mostrando as palmas e o anel de prata no dedo do meio. "Não estou pressionando, Nell. É só uma pergunta. Sei o quanto você queria."

"É. Mas eu ainda mexo bastante com flores", digo, como se estivesse tentando convencê-lo ou coisa do tipo. Impressioná-lo. Passar em algum teste. "Faço arranjos, buquês e tal. Depois posto no Instagram. Tenho alguns milhares de seguidores."

Ed olha para mim, a boca numa linha reta, parecendo impressionado. "É mesmo?"

"Eu pedi pra te seguir. Ontem à noite."

"Ah, é? Não entro muito. Nem sei usar direito."

Passeamos pelo mercado. Por barracas de roupa e sabonete e por um caminhão branco enorme com a lateral aberta vendendo carne. O homem atrás do balcão grita algo melodicamente, mas não tenho ideia do que diz, e não consigo imaginar que alguém tenha. Olho de soslaio para Ed. Ele parece igualzinho. Mesmo quando penso no Ed do fim da adolescência, a sensação é de que ele quase não mudou. A aparência, a personalidade e a ambição — são constantes, como ele. Ed sempre quis muito da vida. E queria muito para mim também. *Tem um hospital incrível em Portland, Nell,* foi o que ele me disse na noite em que tudo mudou, a noite em que oficialmente começamos a nos separar e uma fenda se abriu entre nós. *E abriu uma vaga. Elias, aquele meu colega da universidade, trabalha lá e me chamou.* Depois começou a história de *você pode fazer isso* e *podemos fazer aquilo* e *podemos voltar depois de um ou dois anos, posso fazer minha especialização...* E eu me lembro de ter dito: *Ed, é... muita coisa. É muito longe.*

Também me lembro dos sites que ele me mostrou depois. De cursos. Oficinas. Casas para alugar. Do plano que fez, deixando espaço para mim. Mas eu não me encaixava nesse espaço. Era pequeno demais, ou grande demais. Eu não dormi na noite em que ele mencionou a oferta de emprego. Fiquei vendo Ed adormecer ao meu lado, no escuro, e acho que meu luto por nós começou naquela hora. Eu sabia que ele iria de qualquer maneira. Sabia que eram as últimas noites em que dormiríamos juntos. Porque eu não podia ir embora. Minha mãe não ficaria bem, não começaria a se virar sem mim, e ela nunca me deixou na mão quando precisei. Doze semanas depois, Ed embarcou e eu fiquei sentada no jardim, vendo passar um avião depois do outro, me perguntando qual seria o dele, em qual deles eu também estava sentada ao seu lado em um universo alternativo.

Ed bate levemente com seu ombro no meu. "Isso é legal, Nell", ele diz, roçando as pontas dos dedos em mim. "É bom estar de volta."

"É, sim."

Uma nuvem cobre o sol, nos deixando numa sombra acinzentada. A brisa faz meus pelos se arrepiarem.

Ed ri. "Só não sei se senti falta do clima imprevisível daqui, pra ser sincero."

"Era bom? Em Portland?"

A pergunta faz os olhos de Ed se acenderem, depois é como se alguém apagasse a chama de uma vela com os dedos. "O tempo, você diz?"

"Tudo."

Ele hesita, avaliando as opções: contar ou não. Depois só diz: "Era legal."

Continuamos andando pelos paralelepípedos, em meio às barraquinhas de roupa, aos sinos de vento e às caixas e mais caixas de morangos enormes. Antes que eu me dê conta, estamos diante do estúdio de tatuagem de Charlie, com a placa de madeira cor de algodão-doce rosa se destacando da parede de tijolinhos de arenito. *Merda.* Espero que ela não nos veja. Ao mesmo tempo, meio que espero que veja. Prefiro que Charlie simplesmente nos veja, em vez de ter que explicar e ouvi-la perguntar: *O que tá rolando? Tá pensando em voltar com ele?*, porque eu não saberia como responder.

"Ela tá aí?", Ed pergunta, casualmente.

"Sim. Mas não vamos dar 'oi'. Ela deve estar lotada de trabalho. Sábado é o dia mais cheio."

Ed ri, depois dá de ombros. "Então ela ainda quer me matar?"

"Com certeza", digo, e ele baixa os olhos para os sapatos, como se estivesse um pouco magoado, quando voltamos a andar. Dou uma espiada lá dentro, meio que torcendo para ver Charlie balbuciando para mim: *Que porra é essa, Elle?* Mas ela não está. O estúdio é pequeno e dá para ver todo o interior, inclusive Charlie e Clemmie, sua assistente, trabalhando. Clemmie está lá, falando ao telefone, com o cabelo volumoso preso em um rabo de cavalo alto, enquanto passa delineador preto. Mas nada de Charlie. Isso é estranho. Onde ela está? Talvez no banheiro. Mas onde estão todos os clientes que ela disse que tinha hoje? Tantos que não podia ajudar Theo na delicatéssen nem cuidar de Petal? Penso no dia em que a vi dirigindo na direção oposta à do estúdio e no que Theo disse sobre estar preocupado. Será que ela está tendo um caso? *Não.* Não, como posso pensar nisso? Só uma traidora pensaria isso da melhor amiga.

"E você ainda quer, Noelle?"

"Quê? Desculpa, é que... Charlie não tá lá. Disse que estaria, e, bom, ela não é tão..."

"Sei." Ed dá de ombros. "Mas e daí?"

"Ela anda... Theo disse que ela anda... estranha." Sei no que Ed está pensando quando olha de lado, com as pálpebras semicerradas, parecendo cansado. Ele está pensando em como queria que eu me concentrasse na minha vida e não na dos outros. Ed dizia isso o tempo todo, quando minha mãe não parava de me ligar, quando eu ficava esperando na varanda de camisola até que Dilly chegasse tarde da noite. *Não consegue ver que tem sua própria vida pra viver, Nell?*, Ed dizia, frustrado, e eu respondia que estava vivendo. Não estava? Ele respondia: *Pra quem?* E a gente sempre, sempre discutia. Eu o acusava de tentar me mudar. Ele gritava que eu vivia estagnada. Eu chorava e dizia que sentia muito por não ser uma McDonnell. Ele pedia desculpa e explicava que só queria mais para mim. Que queria me lembrar de que foi Daisy que perdeu a vida no acidente de carro com Lee, não eu.

"Charlie tá bem, Nell", Ed diz agora, enfiando as mãos nos bolsos. "Não precisa se preocupar."

"Não tô preocupada."

"Tá, sim." Ed abre um sorriso de quem sabe o que diz, e eu olho bem para ele, para o rosto cujo contorno conheço tão bem, e sinto saudade, como se uma mão se estendesse do meu peito até o dele. Ed. Meu Ed. Sei qual amaciante de roupa ele prefere, sei que odeia passar manteiga no pão recém-saído da torradeira, porque ela derrete, sei os nomes de todos os palestrantes motivacionais que ele ouve enquanto toma banho. Eu o conheço, e ele me conhece. Inclusive as partes feias e sombrias que tento esconder bem e fingir que não estão ali. Quero abraçá-lo. *Ainda sou eu. Você ainda é você.*

"Como foi nos Estados Unidos?", pergunto, parando de repente. Ele para também.

"Hum, já falei. Foi legal."

"Não, Ed. Como foi, de verdade?"

Sinto uma brisa repentina. Alguns itens de uma barraca que vende peças de cerâmica feitas à mão caem e se espatifam nos paralelepípedos — um jarro de leite e algumas canecas rústicas e coloridas. Um grupo de construtores que está por perto urra e bate palmas.

Ed fica olhando a cena e não se apressa em voltar a me encarar. "Como assim?"

"Você sabe do que eu tô falando. Como era o dia a dia? Tipo... você comprava comida pronta toda sexta? Sentia falta de ver *EastEnders*? Encontrou um sanduíche de bacon como o do Chancer? Fez amigos? Sei lá. Só... me conta. Tudo. Tudo mesmo." Senti saudade dele. Perdi dois anos inteiros de lembranças, experiências e outras coisas. Há uma lacuna entre nós, de coisas que não sei e que ele não sabe. Soubemos o que o outro fazia todos os minutos de todos os dias por doze anos. E agora não sabemos nada.

"Você tá pedindo pra eu me gabar?", ele pergunta, com um sorriso triste.

"Pode ser. Quero saber o que perdi. Quero saber como era." *Porque quase estive lá também, com você*, penso. As lembranças também seriam minhas.

Começa a chover, e olhamos para o alto.

"Tá", Ed diz, devagar. "Vamos pegar alguma coisa pra comer e ir lá pra casa."

18

"Oi, aqui é a Noelle Butterby. Estou ligando de novo sobre..."

"A câmera?"

"Isso. Nossa, vocês devem estar cansados de mim, mas o cara com quem falei na semana passada disse que a coordenadora de história voltaria ontem depois de uma licença de um ano, então..."

"Não, não, tudo bem. Mas ainda não encontramos nada. Desculpa."

"É que... significaria muito pra muita gente..."

"Eu sei, mas como eu disse pro seu amigo na semana passada, deve estar na outra..."

"Meu amigo?"

"Um cara ligou perguntando sobre uma câmera descartável sem dono. Achei que tivesse algo a ver com você..."

"Como ele se chama?"

"Hum, não sei, ele não deu o nome, acho. Só perguntou isso."

"E certeza que era um homem?"

"Sim. Ele disse que era um ex-aluno."

O pai de Sam não diz nada. Eu estava pronta para comentários grosseiros, resmungos, reprovações e respostas curtas, talvez até para a possibilidade de que ele tivesse algo a dizer sempre que eu pegasse alguma coisa ou abrisse um saco. Mas o que eu não estava esperando era que ele me ignorasse completamente, como se eu fosse um fantasma indesejado que assombrava o apartamento e que um padre havia mandado ignorar. *Ignore essa alma estranha e perturbada, Frank. Ela ficará entediada e acabará passando para o outro lado. Receio que seja a única maneira.*

Dei um oi quando cheguei, depois me ofereci para pegar algo para ele beber. Frank se manteve em silêncio nas duas vezes. Quase fui até ele e cutuquei o seu rosto enrugado, para confirmar que não se tratava de um boneco de cera.

Quem abriu a porta quando cheguei foi uma mulher chamada Gloria — uma cuidadora com um sorriso no rosto que eu definitivamente descreveria como contagioso, se tivesse algum efeito em Frank além de fazer com que ele parecesse ainda mais com um homem esperando a morte.

"Você deve ser a Noelle", ela disse, com um forte sotaque irlandês. "Vai adorar a alegria dessa casa." Ela riu e sussurrou de canto de boca: "Espero que ele me dê pelo menos um sorriso quando eu me aposentar. O que acha? É possível?".

Gloria pôs a mesa do café para Frank e o ajudou a se sentar para comer, depois o ajudou a voltar para a poltrona. Eu o ouvi resmungando algo sobre isso ser "inútil", mas a mulher explicou que ele definharia se passasse o dia todo na poltrona.

"Bobagem", Frank retrucou. Quando eu sorri, passando pela porta com uma caixa cheia de papelão para reciclagem, ele me olhou com tanto desprezo quanto as pessoas dirigem a um vendedor de porta em porta e/ou um criminoso. Então deixei cair parte do conteúdo da caixa, e ele inspirou tão profundamente que foi um milagre eu não ter sido sugada para dentro das suas narinas junto com a mesinha.

Agora estamos só nós dois aqui. Eu e o Frank de cera. Feitos um para o outro. Só que não.

"Frank?", chamo da cozinha, e minha cabeça desponta na porta. Ele não responde, porque é um babaca.

Frank está na poltrona, assistindo a um programa na TV como se alguém o forçasse a isso apontando uma arma para a sua cabeça. Hesito na entrada da cozinha, depois de ter passado quinze minutos no quarto de hóspedes além das três horas de trabalho pelas quais sou paga, enchendo sacos de lixo, esvaziando caixas de papelão com jornais velhos e uma mala lotada de papéis que mostrei a Frank antes que ele gritasse *Não, não toque nisso!* e eu a soltasse como se fosse uma bomba. Perdi a noção da hora, porque o apartamento está um caos. Em cada canto e em cada espacinho tem mais e mais coisas. É como a bolsa mágica da Mary Poppins, só que cheia de porcarias, em vez de abajures chiques e guarda-chuvas divertidos. Mas também perdi a noção da hora porque fiquei pensando no que a funcionária da escola me disse ao telefone. Estou distraída, com o cérebro dando voltas em si mesmo, criando centenas de histórias que pertencem a estantes de bibliotecas, e não à vida real.

Sua vida não é um romance do Nicholas Sparks, Noelle, Dilly me diria agora se soubesse que eu tinha ficado acordada pensando se *Lee* podia ser o ex-aluno procurando a câmera, quando na verdade ele está morto. E, sim, não há nada que indique que é a mesma câmera, mas não sei. Acho que é. Uma *câmera sem dono*. É claro que diriam que a câmera da Daisy não tinha mais dono. Talvez fosse assim que a pessoa se referisse aos pertences de alguém que já partiu, os quais, se eu não fosse buscar, definitivamente sobrariam na cápsula. Perguntei a Ed, que me olhou como se eu tivesse ultrapassado o limite da loucura.

"Não fui eu, Nellie", ele disse, dando de ombros. No dia da ligação, eu o encontrei de novo na estação, com um café para viagem. Isso se tornou meio que uma rotina. Um café assim que ele sai do trem, depois do trabalho, e um passeio juntos pelo centro, incluindo o mercado, depois Ed me puxando pelo braço para irmos ao apartamento dele, no andar de cima de uma loja de bicicletas, e eu às vezes aceitando, dependendo de quantas vezes minha mãe me ligou e de Ian estar ou não com ela. O aluguel é temporário. O lugar é de um conhecido do pai de Ed que está viajando. Sempre que subo, sinto como se estivesse na casa de outra pessoa, com as coisas de outra pessoa.

"Olha, não quero ser rude, mas talvez seja melhor esquecer essa história da câmera." Fiquei tensa com o desdém dele. Aquilo era puro Ed. Mas também porque vi algo na expressão dele. Pena. Preocupação. *Alguma coisa*. Ou talvez eu só estivesse sendo paranoica. Afinal, por que ele mentiria? Por que ia querer uma câmera velha?

"São só fotos, Nell", Ed insistiu.

"Fotos *dela*", acrescentei. *E uma nossa*, pensei, mas não disse. Ela tirou uma foto de nós dois, com Ed me abraçando e o campo iluminado pelos refletores ao fundo. *Meu futuro tá nessa foto*, me lembro de ter pensado, enquanto o dedão da Daisy passava o filme. *Eu sei. Simplesmente sei. E vou provar, quando voltarmos aqui e desenterrarmos a câmera. Juntos.*

"Frank?", volto a chamar agora, parada na porta.

Ele não tira os olhos da tv. Os lábios estão entreabertos e as pálpebras, caídas, como se fosse um esforço mantê-las separadas. Sam deve ter puxado à mãe. Não vejo nenhuma semelhança entre Frank e ele. Talvez o nariz, com muito esforço. A linha reta da ponte do nariz é igual. Mas eles são muito diferentes em todo o resto. Totalmente opostos. Na aparência, no temperamento... em tudo, até onde posso ver. Me pergunto como Frank e a mãe de Sam se conheceram. Ele é nove anos mais velho que a ex-mulher, isso eu sei, mas me pergunto se ela estava usando batom, se trombou com ele por acaso. Me pergunto se ele arranjava desculpas para encostar nela e chegar mais perto, e se depois a mãe de Sam ficava analisando tudo, os olhares, os toques. Não consigo imaginar. Não consigo imaginar Frank sorrindo, muito menos tocando em alguém (só lançando um olhar frio para almas penadas).

"Quer um chazinho antes de eu ir embora?", pergunto.

"Não", ele diz, e é mais um grunhido que uma palavra. Assinto, enquanto a máquina de lavar, ironicamente, solta uma musiquinha feliz e irônica atrás de mim, para sinalizar que o ciclo está terminado. "Será que, hum, é melhor eu estender as roupas na sacada?"

Nenhuma resposta.

"Ótimo. Vou fazer isso. O dia está lindo e ensolarado, não deve demorar muito pra secar. Depois Gloria recolhe. Ou Sam. Ele vem hoje?" Sei que não deveria, mas torço para que ele apareça. Não nos falamos desde aquele dia na rua. Bom, nada além de uma mensagem. *Chego na terça antes das nove*, escrevi. Ele respondeu: *Ótimo*, com um emoji sorrindo. Nem Charlie e eu poderíamos destrinchar e analisar aquela troca de mensagens simples e sem graça.

Estamos no sétimo andar. Embora eu não tenha exatamente medo de altura, meus joelhos fraquejam enquanto estendo as roupas no varal suspenso, como se eu estivesse numa ponte instável. Não é natural ficar assim no alto. Mas nunca tive medo de avião. Adoro voar. Minha mãe também adorava. Viajávamos de férias uma vez por ano, até meus dezesseis anos. Espanha. Creta. Chipre. Portugal. Ela vivia economizando, e o ano inteiro girava em torno daquela semana em que levava Dilly e eu para longe. Me lembro das mochilinhas que carregávamos conosco no avião, com livros de atividades, doces e lápis. Lembro como ela as pegava do bagageiro no escuro, com a visão turva, mas animada com nossa pequena aventura. Nem sempre foi como é agora. Minha mãe vivia bronzeada, era cheia de vida e interessada pelo mundo. Então veio o derrame — e devagar e rápido, de uma vez só, ela se recolheu. A chama que havia dentro dela se apagou. Pode acontecer com qualquer um. Sete anos atrás, aconteceu comigo. A versão de Noelle Butterby sobre a qual a dra. Henry estava perguntando. A que se perdeu por um momento, enquanto todo mundo seguia para a universidade e começava a própria vida.

"Fiquem ligados para uma competição incrível", a tv de um apartamento vizinho diz. "Depois, vamos te ensinar a fazer não um, mas dois pratos de verão *perfeitos*..."

Da sacada, é possível ver quilômetros de casas e prédios, e no horizonte há morros, árvores verdes e frondosas e o céu azul. O cheiro também é diferente. É o cheiro da casa dos outros, evidências da vida alheia. Grama recém-cortada do jardim de alguém, cebola fritando em outro apartamento. Me seguro no parapeito e fecho os olhos. Daisy e eu costumávamos fazer isso na sacada da casa dela. Quando eu dormia lá, às vezes o silêncio da noite entrava pela janela, e só se ouvia o ruído do trânsito à distância.

Onde você tá, Elle?, ela perguntava, com sono, e eu sempre a fazia responder primeiro, porque Daisy tinha as melhores ideias, era mais criativa. Por isso estudava arte. Por isso escrevia os melhores contos e poemas da aula de literatura.

Ah, estou na Itália com você, Daisy dizia, fechando os olhos. *Estamos comemorando. Vendi meu roteiro e estão dizendo que sou a nova Nora Ephron, tenho uma montanha de dinheiro pra gastar. Vamos conhecer dois poetas gatos e sofridos em algum bar hoje à noite. Eles vão nos seduzir.* Ela sempre ria, como se estivesse feliz com as histórias gloriosas que inventava. *Anda, Elle, fecha os olhos. Usa a imaginação. O que você vê?*

Ouço a voz alegre e animada dela, infantil e risonha, ressoar na minha mente agora. Odeio que Daisy esteja presa no tempo. Odeio que sempre vá ter dezoito anos. Que nunca vá ter vinte e dois, trinta e dois, setenta e dois anos. Que nunca vá se apaixonar, ver Nova York ou Amsterdã. *Amsterdã*. O primeiro lugar que dizíamos que visitaríamos quando tivéssemos dinheiro, depois de nos formar. *É só pegar um voo baratinho*, Daisy dizia, e eu quase passava mal de animação.

Onde você tá, Elle?, ouço a voz dela me perguntando agora.

E eu penso. Com as mãos no parapeito, tento pensar. Aonde eu iria se pudesse ir a qualquer lugar? Só que nada me vem à cabeça. Absolutamente nada. Por um momento, eu me pergunto se também estou presa.

"Oi."

Meus olhos se abrem na hora, e eu me viro. Sam está na porta da sacada, alto e lindo, com um leve sorriso.

"Aproveitando a vista?", ele diz, simpático.

"Um pouco." Pigarreio e endireito o corpo. "Mas minhas pernas estão meio que dançando."

"Dançando", ele repete. "Interessante." Sam se aproxima, depois se debruça, apoiando os braços bronzeados no parapeito. Ele olha em frente, como eu. O cheiro dele é incrível. De banho, protetor solar e loção pós-barba de cedro. Sinto uma vibração desenfreada no peito, como se tivesse uma mariposa presa nele.

"O truque é enganar o cérebro", ele diz. "É só se convencer de que os pés estão no chão."

"Entendi. Mas é meio difícil fazer isso quando os carros lá embaixo parecem de brinquedo e estamos mais perto dos pássaros que das pessoas na rua."

Sam ri. "Tem que treinar. Foi por isso que fechou os olhos?"

"Ah. Não. Eu costumava fazer isso. Com uma amiga, quando éramos pequenas. A casa dela tinha uma sacada parecida e a gente... fechava os olhos e fingia estar em outro lugar. Qualquer lugar aonde gostaríamos de ir um dia. A gente dizia o que conseguia ver. Sei que é bobo, mas..."

"Não é, não." Então ele se inclina para mim e diz baixo, como se perguntasse um segredo: "O que você estava vendo?". E eu sinto, contra minha vontade, um friozinho na barriga. Como se a descida da montanha-russa tivesse começado.

Pigarreio. "Hã... U-uma torta de carne", minto. "Uma torta de carne gigante e dourada." As sobrancelhas de Sam se aproximam por um momento, como se a mudança repentina de tom o chocasse, mas então ele ri.

"Tem certeza de que não eram ostras?"

19

Duas quartas-feiras atrás, enquanto eu fazia um arranjo com dois girassóis amarelos gigantes na janela da sala de estar da Charlie e do Theo, ele se aproximou e me perguntou baixo se eu poderia ficar de olho na Charlie no sábado.

"Não vou estar aqui", Theo disse, preocupado. "Meu irmão Andreas e eu vamos visitar alguns fornecedores novos na Normandia. Charlie vai ficar sozinha de sexta a domingo. Ela nunca passou a noite sozinha com a bebê e... bom, tô um pouco preocupado. Será que você não poderia..."

"Ver como ela tá?"

"Tudo bem? Acho que a Charlie fica um pouco estressada quando as duas estão a sós. Não acho que seja o caso de contratar uma babá, mas se você puder só dar uma passada..."

Assenti. "Deixa comigo", eu disse, mas uma pequena parte de mim relutava. Claro que eu ia fazer aquilo. Faria qualquer coisa pelos dois. (A não ser sair com Jet, o cara do retiro de reiki.) Mas eu não queria que Charlie achasse que eu a estava vigiando. Mandei uma mensagem depois de não a ter visto no estúdio, e ela pareceu ter sido pega de surpresa. "Eu devia estar almoçando", Charlie disse. Quando perguntei se estava tudo bem, ela só disse que sim, e fiquei sentindo que tinha dado um fora e falado demais. Que ela sentia que eu não confiava nela.

"Posso te mandar uma mensagem depois de falar com ela, quando souber que elas estão acordadas", Theo disse, e ele mandou mesmo. Faz meia hora. Mas agora Charlie não está atendendo a porta. Sei que ela está lá dentro, porque vejo a rodinha do carrinho pelo vidro ao redor da porta. Charlie não iria a lugar nenhum sem ele. Fora que as janelas do andar de cima estão abertas. Mas ela não responde, e não identifico nenhum movimento. Sei a senha do minicofre onde a chave extra fica guardada. Mas entrar assim seria demais, não é? Ouço a voz de Ed na minha cabeça, como se ele sussurrasse no meu ouvido. *Para de se preocupar com a vida dos outros e começa a se preocupar com a sua, Nell.* Tento afastar essa ideia.

Bato de novo.

Nada. Mas continuo ouvindo um ruído baixo. A bebê chorando? Só pode ser isso. Os lamentos distantes de Petal chegando pelas janelas abertas.

"Charlie?", chamo, inutilmente. "*Charlie?*"

Pego o celular, e meu dedo paira sobre o nome dela. Deve estar no banho. Faz sentido. Ou talvez não tenha ouvido por causa do choro da bebê. Petal tem pulmões fortes para alguém tão pequena e frágil. Decido ligar, mas então o nome da minha mãe aparece na tela. *Afe.* Recuso a chamada e ligo para a Charlie. Enquanto o telefone toca, minha mãe me escreve. *Você pode comprar sabonete líquido?*, a primeira mensagem diz. Depois: *Que horas você chega?* E outra: *Mais ou menos?*

Bato na porta freneticamente. "Charlie? *Charlie?*"

O choro continua.

Sinto o calor de julho subindo pelas costas, por baixo da

jaqueta que só estou usando porque a previsão era de chuva. Sinto as mãos frias e suadas, o coração batendo cada vez mais rápido. Minha mãe escrevendo. O choro de Petal. Nenhum sinal de Charlie. O sol quente e implacável na minha nuca. De repente, é demais. Enquanto meu coração martela na caixa torácica, minha mão entra na bolsa para pegar as chaves, como se tivesse vida própria. Seguro o chaveiro quadrado, fecho os olhos e passo o dedo por uma de suas laterais de resina dura, inspirando fundo. Faço a mesma coisa no outro lado do chaveiro e seguro a respiração. Enquanto deslizo o dedo pelo próximo lado, exalo. *Inspira, segura, expira.* É só uma bebê chorando, são só mensagens. Não tem nada de ruim acontecendo. Nada de ruim vai acontecer. Estou aqui. Com os pés no chão. O coração batendo.

Depois de um tempo, abro os olhos, mas as chaves continuam na minha mão trêmula. Quando uma enfermeira me ensinou essa técnica de respiração, achei meio idiota. Eu tinha vinte e dois anos e tremia como vara verde. *Sempre que sentir o pânico vindo, encontre um quadrado*, ela disse. *Uma janela, um pôster ou até mesmo uma parede. Inspire enquanto traça uma lateral, segure o ar enquanto traça a seguinte e exale enquanto traça outra. Continue contornando o quadrado. Inspire, segure, expire. Não importa onde você esteja, sempre vai ter um quadrado disponível.* O chaveiro sempre foi o meu quadrado. Eu o encontrei no chão, aos dezessete anos — um raminho envolto em resina transparente. Isso foi um ou dois dias antes que a cápsula fosse enterrada, eu me lembro porque pensei em guardá-lo nela. Faz anos que não preciso pegá-lo para me tranquilizar, o que me deixa preocupada. Por que agora? Estou regredindo? Não. *Não. Charlie.* Preciso falar com ela.

Volto a bater na porta com força, e os nós dos dedos doem. O coração desacelera, cansado.

"Charlie?" Faço uma concha com a mão e a ponho no vidro fosco, então apoio a testa nela para ver melhor lá dentro. Isso é... uma perna? Não. Não, não pode ser. Mas é. Com certeza.

Olho para o minicofre. Insiro a senha que Theo me passou há um século, em caso de emergência (o aniversário da Charlie mais um nove), e pego a chave. Eu a coloco na fechadura e abro. Ouço os gritos histéricos de Petal imediatamente.

Charlie me olha do chão. Com os joelhos magros e rosados encolhidos contra o queixo e o rosto acinzentado, marcado pelas lágrimas. "Meu Deus, Charlie. O que aconteceu?" Os olhos dela estão arregalados e os lábios, trêmulos.

Eu me agacho, e meus sapatos fazem barulho contra o piso de madeira. "Charlie? Charlie, fala comigo."

"Não consigo", ela diz, com a voz falhando.

"Respira fundo algumas vezes..."

"Não consigo, Noelle. Não consigo. Acho que não consigo fazer isso. Eu não amo ela. Não amo minha filha."

Charlie me olha por cima da armação preta dos óculos, com olheiras roxas e o branco dos olhos parecendo um mapa de veias cor-de-rosa. Petal está pesada e quente no meu colo, e eu me inclino para cheirar seu cabelinho espetado. Ela *sempre* cheira a toalhas macias e favas de baunilha. É assim com todos os bebês, não é? Do chão, olho para Charlie, com as pernas cruzadas. Ela está no canto do sofá, encolhida, com um cobertor até o queixo e uma meia diferente da outra aparecendo mais embaixo.

"Não sei o que fazer, Noelle", Charlie diz, firme. "Morro de medo de voltar pra casa." Ela enfia as pontas dos dedos debaixo dos óculos e esfrega os olhos inchados. "Cara, que coisa mais horrível de se dizer..."

"Não tem problema."

"Sinto que o dia todo é uma batalha. Acordo e a primeira coisa que penso é: dou conta disso, claro que sim, sou a mãe dela. Aí ela começa a chorar e no mesmo instante sei que não consigo. Não dou conta. Às vezes continuo deitada, só ouvindo o choro, esperando que o Theo levante, porque ele é tão bom com ela e... parece que eu só pioro as coisas..."

"Ah, Charlie, você não piora nada."

"A sensação é essa, Elle."

Petal funga no meu peito. A casa está uma bagunça. A mesa de centro está cheia de paninhos, mamadeiras, remédios para cólica e chupetas. Ruído branco continua saindo do iPad, baixo. Uma representação artística de uma mãe que já tentou de tudo.

"Charlie, você tá exausta. O cansaço é uma tortura, é o bastante pra fazer qualquer um se sentir assim..."

"Mas e quanto às outras pessoas, Noelle?", Charlie me corta, com os olhos grandes e cansados atrás das lentes. "Eu vejo gente empurrando carrinhos todos os dias e parecendo bem. Tipo, *muito* bem. Elas simplesmente lidam com isso. Seguem com a vida. Postam selfies sorridentes com os filhos no Instagram, parecendo felizes pra caralho."

Estendo o braço e levo a mão ao joelho ossudo e gelado dela. "Charlie, ninguém publica as partes ruins da vida. Quando foi que você entrou no Facebook ou no Instagram e viu uma foto de... sei lá, alguém gritando com o marido por ser um vagabundo? A gente só vê as flores que ele comprou como pedido de desculpas e uma hashtag ridícula..."

"Falei com uma mulher no mercado", Charlie me interrompe de novo. "Disse que estava cansada e tendo dificuldades, e ela disse: *Ah, mas você não mudaria nada, né?* Tive que dizer que não, claro. Mas queria dizer que sim. Queria dizer: *Na verdade, Brenda, eu com certeza mudaria.* Às vezes quero voltar no tempo. É sério, Noelle. Não quero ser a Charlie do presente. Quero ser a Charlie do passado." Ela começa a soluçar.

"Ah, Char..." Eu me aproximo e passo o braço pelos ombros dela enquanto ela se esconde atrás de um lenço, em meio às lágrimas. Fico assim por um tempo, com uma mão em Petal, cujo coraçãozinho do tamanho de um morango sinto bater, e outra em Charlie, trêmula.

"Sinto muito, Noelle."

"Não diga isso. Você não precisa dizer isso."

Charlie olha para mim inocentemente, como se estivesse prestes a confessar alguma coisa. "Não consigo parar de pensar na Daisy. E no que você disse, sobre o que acha que ela esperaria de mim..."

"Ah, não ouça o que eu digo..."

"Mas o que foi que eu fiz?" Ela dá de ombros e olha em volta, para a casa bagunçada, com uma faixa de sol entrando pela fresta das cortinas pesadas, como uma iluminação de palco, um foco recaindo sobre nós três. "Minha vida começou. Já estou nela. Não é mais algo que eu aguardo. Eu tô aqui. Mas o que queria da minha vida era isso? Duvido muito, Noelle. De verdade."

"Charlie, você teve uma filha..."

"Que me odeia. Fico o dia todo... nossa, é tão maçante. Fico só olhando pro relógio. Até ir trabalhar. Até o Theo pegar a Petal. Minha mente é consumida por ela, e nem passamos o tempo todo juntas. Imagina como isso é péssimo. Troco a fralda preocupada. Pego a bebê no colo preocupada.

Ela tomou leite o suficiente? Vai vomitar durante o sono e se engasgar? Já fez cocô? Às vezes parece que só falo de cocô, só penso em cocô. Cocô, cocô, cocô."

Petal se remexe, e eu me levanto e começo a balançá-la como Theo faz, atrás do balcão do Buff. "Você falou com o Theo?"

"Não. *Não*, não posso. Como poderia? Comecei a ver alguém." Meu coração para. "Tô fazendo terapia", ela acrescenta, e ele volta a bater, aliviado. Claro. Claro que ela não está tendo um caso. "Uma vez por semana. Vou durante o expediente, pro Theo não saber." Então é para lá que ela vai. Provavelmente foi por isso que não estava no estúdio, e era para o consultório que estava dirigindo no outro dia. "O Theo vai querer que eu marque uma consulta com um psiquiatra e... fico com medo de que me deem remédios e que eles me deixem entorpecida. Já me sinto tão entorpecida, Noelle. Tô morrendo de medo. De ser a mãe que precisa de remédios pra aguentar o que deveria ser uma das melhores coisas que já aconteceu. Sou uma mãe de merda."

"Não, Charlie, não." Balanço a cabeça, chego perto e me agacho no carpete. "Charlie, se você tá chorando é porque se importa com ela. Isso faz de você uma boa mãe. *A melhor.* Você só tá exausta. Fora que não dá para estar preparada pra esse tipo de coisa. Ninguém sabe como fazer isso logo de cara."

"O Theo sabe."

"Mas é tipo... tipo *boliche*, sabe?", digo, assentindo com vontade, louca para que ela embarque na minha estranha analogia. "Se você pega duas pessoas que nunca jogaram boliche e coloca na frente da pista, com algumas bolas, uma delas vai estar fazendo *strikes* em questão de minutos. Vai se mostrar um prodígio do esporte. Não vai saber explicar como, só vai achar tudo muito fácil. Mas a outra vai ser como eu. Com muita dificuldade vai acertar um pino e acabar sentada de canto, comendo nachos, porque é difícil demais. Algumas pessoas têm facilidade com as coisas, enquanto outras precisam se esforçar mais. Não tem certo ou errado. Olha só a minha mãe. Olha só pra mim."

Charlie abre um sorriso sem graça, depois volta a chorar. Eu a abraço. Ela retribui, forte, como se eu fosse sua tábua de salvação. Petal dorme entre nós duas, alheia a tudo. As lágrimas de Charlie caem na cabecinha dela, como gotas de chuva.

"Não posso contar pro Theo", Charlie diz, fungando. "Que não consigo ser a mãe que ele achou que eu seria. Que não sou boa nisso."

Balanço a cabeça. "Você não precisa fazer ou dizer nada agora. Só precisa descansar. Olha, por que eu não levo a Petal pra dar uma voltinha? Me diz o que preciso levar e quando é a próxima mamadeira dela. Vamos... não sei, vamos nos aventurar por aí. Tenho que comprar umas coisas pra minha mãe. E podemos ir ao parque. Eu mostro pra ela as flores, os patos..."

"Não. Não, não posso..."

"Eu insisto. Toma um banho e dorme. Eu entro sozinha depois."

Charlie hesita, sem piscar, olhando para mim e para a filha, com o sol entrando pelas cortinas. Então engole em seco e enxuga uma lágrima. "Ela tem que mamar daqui a duas horas. Mas pode fazer ela arrotar depois? Sem o remédio pra cólica, ela fica tão cheia que a barriguinha dói."

"Claro."

"E se ela fica com fome tem um acesso de fúria e depois nem consegue mais comer..."

"Igual a mim", digo, e Charlie ri em meio às lágrimas. Ela estende o braço e toca a cabecinha fofa de Petal. "Ela vai ficar bem, Charlie. E você também. Confie em mim. Tia Noelle vai cuidar de tudo."

20

Não tenho muita certeza de que posso cuidar de tudo, para ser sincera. Sinto como se alguém tivesse me tirado da rua, me colocado no controle de uma criaturinha imprevisível e ido embora. Mas, depois de um show de gritos na frente de uma loja de sapatos (vindo de Petal, não de mim, ainda bem), eu a balancei um pouco diante de uma cesta de chinelos em promoção e, com uma chupeta e uns "shhhh" meio estranhos que me faziam parecer um aspirador de pó, Petal sossegou e agora está dormindo no carrinho. O tempo mudou na última hora e faz um friozinho inesperado para junho sempre que o sol se esconde. Antes de sairmos, Charlie a enrolou cuidadosa e meticulosamente em um cobertorzinho, como se fosse um burrito. Eu queria muito que ela visse o que eu vejo. Alguém que se importa tanto com a filha que morre de medo de errar.

É gostoso passear com Petal no carrinho, é quase calmante. Vou mais longe do que iria se estivesse sozinha, passando pelo centro, contornando o parque e agora voltando, com um buquê de rosas da minha floricultura preferida na cesta debaixo do carrinho. Enquanto Petal dormia, parei para tirar fotos das hortênsias azuis no parque, que juntas pareciam nuvens, as pétalas quase como borboletas. Postei no Instagram — algo que não tenho feito, considerando o pouco tempo que me resta entre o trabalho novo na casa do pai do Sam e ver Ed (que ainda não aceitou minha solicitação para segui-lo) —, com a seguinte legenda: *Dizem que hortênsias são um símbolo de gratidão. Seja sempre grato pelas pequenas coisas.* Recebi dez curtidas quase instantaneamente e me senti uma impostora clássica da internet, do tipo que mencionei a Charlie. Porque hoje estou tentando ser grata, sentir que tenho sorte de estar aqui, mas não estou conseguindo. Algo que Charlie disse não me deixa em paz, como alguém puxando minha manga. *Minha vida começou. Já estou nela. Não é mais algo que eu aguardo. Eu tô aqui. Mas o que queria da minha vida era isso?*

Era isso? Era isso que eu visualizava para mim mesma? O que eu queria? Ainda estou aguardando?

Passamos por um ponto de ônibus cheio, e uma senhora com um casaco cor de figo olha para o carrinho, depois para mim e sorri. Por um instante, eu me permito certo distanciamento. Me vejo de longe, empurrando o carrinho pelas ruas de paralelepípedo da minha cidadezinha. Me pergunto se a Noelle Butterby de quinze anos atrás veria esta cena em uma bola de cristal e concluiria que a bebê era dela. Minha e de Ed. Falamos sobre isso algumas vezes, da maneira que falávamos sobre o futuro de modo geral, como se de repente fôssemos ser pessoas diferentes quando chegássemos lá. Casa, carreiras, poupança, dois filhos, talvez três. Era como uma lista, e eu vi os irmãos de Ed riscarem cada item, enquanto nós ficávamos para trás. Tudo aquilo parecia estar esperando por nós num futuro que nunca dava a impressão de estar se aproximando, ainda que devesse parecer mais perto de se concretizar com a passagem do tempo. Não sei bem por quê. Fui eu? Fui a única coisa nos segurando? Afe. Provavelmente. É o que minha intuição diz, a vozinha no meu ombro. Ed se formou médico. Ed foi para o Oregon. Está vivendo muito mais do que eu. Uma gota gorda pinga na minha testa, como um dedo, me obrigando a parar de me sentir uma merda.

Começa a chover mais forte, e Petal e eu vamos para baixo da ponte por onde passa o trem. Uma lembrança me vem à mente: Daisy e eu neste mesmo lugar, nos protegendo de uma chuva torrencial repentina depois de comprar sutiãs e maquiagem no centro.

O Lee é tão legal, Daisy disse, com o canudinho do milk--shake na boca. *Tipo, sabe aquelas pessoas legais de verdade, totalmente independentes? Ele é assim. Sabe quem é e não se importa com o que as pessoas pensam. Adoro isso.*

E quando vou conhecer o cara?, perguntei. Ela sorriu, linda e radiante como sempre.

Logo. Ele vai no lance da cápsula do tempo. Disse que talvez me dê uma carona, então vamos ter que garantir que eu esteja incrivelmente linda *quando sair do carro dele.*

Óbvio.

Como você e Ed vão? De trem? Ah, talvez vocês possam ir comigo e com Lee. Eu e Lee... Parece certo, né? Daisy e Lee.

Afasto a lembrança, porque às vezes não suporto ir além. É um disco velho e riscado, um caminho bastante trilhado, que eu conheço de cabo a rabo e no qual posso cair com o mais leve empurrão. Como eu poderia ter salvado a vida da Daisy se estivesse ciente de tudo. Se eu tivesse insistido que voltasse de trem, comigo e com Ed, ela ainda estaria aqui. Se eu tivesse entrado no carro com ela, talvez tivesse impedido Lee de acelerar ou de fazer o que quer que tenha feito para que o que aconteceu acontecesse. Mas, se eu tivesse entrado no carro, teria morrido. Eu estava destinada a entrar no carro? Estava destinada a não entrar?

Um trem passa acima de nós. Petal se remexe, mas eu fico grata que o barulho tenha abafado o monólogo mental e me trazido de volta ao presente. Eu poderia levá-la para a minha casa. Minha mãe com certeza adoraria ver um bebê. Mas seria uma bela caminhada na chuva, e não quero que ela fique com frio. Eu poderia ir ao Neo's, mas as máquinas de café lá são barulhentas e a música é alta. Não quero que Petal acorde antes da hora da mamadeira, para não atrapalhar a rotina de Charlie.

A chuva fica mais forte, e eu continuo debaixo da ponte. Pego a cobertura do carrinho do cesto e tento instalá-la. A brisa sopra no meu rosto, mas Petal continua dormindo.

"Pode ficar aí dormindo, como uma rainha", digo baixo. "Não se preocupe com a tia Noelle no vento, se matando pra encaixar esse troço. Afe, como será que isso funciona?"

"Noelle?" Reconheço a voz imediatamente e olho para cima. Meu corpo reage antes que meu cérebro estressado possa registrar que ele está aqui. "Oi!"

Sam vem trotando na minha direção, com os olhos semicerrados em meio à chuva forte. Meu coração acelera, como se eu tivesse levado um choque, e meu estômago volta a se revirar de ansiedade, como se eu tivesse sete anos e fosse véspera de Natal. *Ridículo*. E quanto a Ed? E quanto a *Jenna*? Mas é inútil. Isso acontece de maneira absolutamente involuntária sempre que o vejo. Contra a minha própria vontade. Contra meu lado racional e meu juízo.

"Oi. Parece que estamos sempre nos trombando."

"Pois é." Ele abre um sorriso largo. "Não fazemos outra coisa." Sam está usando um moletom cinza, um short escuro e uma pochete, com a alça grossa e preta atravessada no peito. *Uau!*, Charlie diria. (E eu também, se não fosse totalmente inapropriado.) *Me leva com você, Capitão América.*

157

"Achei que você só fosse vir amanhã."

Ele vem para debaixo da ponte com a gente. A água da chuva escorre da estação e bate contra o asfalto. "Mudança de planos. Cheguei ontem à noite." Ele olha para o carrinho e sorri, com o cabelo molhado caindo nos olhos. "É sua?"

"É, esqueci de contar!"

Sam ri.

"É a Petal. Minha amiga Charlie não tem conseguido dormir, então pensei em dar uma volta com a bebê, para ela ter algum descanso."

"Sua boa ação do dia." Ele sorri. "Quer ir pra algum lugar? Você tem planos ou...?"

"Eu estava dividida entre ir pra casa ou entrar num café, só que o café é barulhento e... bom, não consegui pensar em nada. Não sou exatamente uma encantadora de bebês."

"Vamos dar uma olhada. Deve ter algum lugar."

Sam e eu estamos sentados numa lavanderia, com dois cafés do Neo's, que fica alguns metros rua abaixo e tem cortiça nas paredes, baristas barbados e luzes neon retorcidas formando citações motivacionais bregas nas paredes. Estamos sozinhos. O lugar cheira a sabão em pó e moedas, e sentamos lado a lado no banco estreito de madeira. As janelas estão embaçadas. Tentamos encontrar um lugar num café mais tranquilo, mas não havia mesas livres. Sam parou quando passamos pela lavanderia, os dois molhados da chuva, e eu fiquei deslumbrada com a condensação no vidro e as luzinhas contornando a vitrine, no que parecia ser a promessa de um abrigo quentinho e aconchegante. Entramos e nos sentamos no banco de madeira. Nossa pele esquentou rapidamente, e o zumbido das máquinas pareceu tranquilizar Petal.

"Adoro lavanderias", digo agora, olhando em volta. As paredes têm ladrilhos azul-acinzentados até a metade e quadros totalmente deslocados de cidades praianas e barcos no porto. "Acho nostálgico. O cheiro, o barulho. Sei lá. É reconfortante."

"Nunca pensei nisso", Sam diz, baixo, olhando por cima do ombro para a fileira de máquinas, cada uma com uma cesta de plástico branco diferente em cima. "Acho que também gosto dessa coisa meio antigona. Fora que é legal que ainda exista um lugar que não é totalmente vigiado. É um lembrete de que ainda dá para confiar um pouco nas pessoas."

Tomo um gole de café. Uma gota de chuva escorre por um cacho até o meu queixo, depois pinga na coxa.

"Não?", ele pergunta ao ver minha cara.

"Sei lá." Dou de ombros. "Tô meio mal-humorada hoje. Você fica assim às vezes? Parecendo um velho rabugento?"

"Tipo o Frank?" Sam ri e olha para o café na mão dele. As pernas compridas estão esticadas e os antebraços descansam no colo. Ele afunda a cabeça, assentindo uma única vez. "Fico. Acho que tudo bem a gente ficar um pouco mal-humorado de vez em quando, né? Quer compartilhar alguma coisa?" Ele abre um sorriso tímido.

Conto sobre o estado em que encontrei Charlie pela manhã. Conto sobre o pânico quase tomando conta de mim e as respirações profundas segurando meu chaveiro jurássico. Conto sobre o que Charlie falou da vida e de já *estar nela*. Minha boca se move rápido, as palavras transbordando como a chuva incessante lá fora. Sam fica ouvindo, em silêncio e estoico, como quem esconde as cartas, o que é típico dele.

"É só que... fico pensando no que a Charlie disse. Tipo, me preocupo de ter desperdiçado o meu tempo."

Sam olha para o café e depois para mim. "Desperdiçado como?"

"Fiquei um pouco como a minha mãe", digo, e ao me ouvir dizendo isso em voz alta parece que finalmente sinto algum alívio. "Por um tempo, mais ou menos um ano, fui pega de surpresa. Apesar de que, em retrospectiva, acho que foi uma conjunção de fatores. Ed estava na faculdade, minha amiga tinha morrido alguns anos antes e descobri que o meu pai... Ele mora na Austrália, e a gente não tem contato. Bom, descobri que ele tinha se casado. Acho que fui engolida por tudo isso. Passei um tempo no hospital." Quando digo isso, sinto um calor se espalhando pela pele. Acho que deve ser vergonha, uma vergonha profunda, de que algo que parecia estar confinado na minha mente, que parecia não passar de um *pensamento*, de repente tenha me levado a um lugar com macas e médicos de jaleco. Eu adoraria não me sentir assim, mas me sinto. Sam mal reage. Fica só ouvindo, com os olhos tranquilos e fixos em mim. "Minha mãe cuidou de mim e... pra ser sincera, é por isso que eu entendo. É por isso que não a pressiono. Não tinha como alguém me convencer a deixar a ansiedade e a depressão pra trás. Nada funcionou comigo. Precisei de tempo." Quero dizer que uma parte de mim acredita que a causa do derrame da minha mãe foi o estresse da situação, mas não consigo. Faz um longo tempo que não digo isso em voz alta. Costumava deixar Ed frustrado, e ele me bombardeava com fatos médicos frios que, imagino, achava que me ajudavam, mas não era o caso.

"Todo mundo desperdiça tempo", diz Sam, calmo. "E parece que um monte de coisa rolou com você num curto espaço de tempo."

"Pode ser. Ou talvez eu esteja estagnada."

"Ah, não." Sam se alonga, depois endireita os ombros. "Você não tá estagnada, Gallagher. Ou pelo menos não é o que eu vejo." Ele sorri para mim, de uma forma tão calorosa e tranquilizante que minhas bochechas ficam vermelhas, como se alguém tivesse ligado o aquecedor.

"Obrigada", digo e me viro para esconder o rosto, que deve estar cor de salmão. Tomo um gole de café. Adoro passar tempo com Sam. De verdade. *Mesmo*. Sempre que estou perto dele, quero parar todos os relógios do mundo. Não quero que acabe nunca.

Uma máquina de lavar zumbe, e um bando de pés calçados passa depressa lá fora. Devem ser crianças fugindo da chuva.

"Me ensinaram o mesmo truque. Do quadrado." Ele desenha a forma com o dedo no ar, contornando uma secadora. "Respirando."

"Sério?"

"É." Ele inclina a cabeça. "Eu devia ter uns... dezoito, dezenove? Tentei morar com meu pai por um tempo, mas... cara, foi a pior ideia do mundo. Tudo deu errado. As coisas estavam difíceis em casa. Saí para correr e tive um ataque de pânico. Fui pra casa achando que estava morrendo ou algo assim. Tinha certeza disso. Naquela época, eu sempre achava que estava morrendo." Sam ri sozinho, sombriamente. "Bom, o Frank me levou pro hospital, e uma enfermeira me disse..."

"Foi uma enfermeira que me ensinou também. Aposto que foi a mesma."

Sam ri, depois o rosto dele relaxa. "Um ataque de pânico não significa que você tá retrocedendo", Sam diz. "Se é isso que você tá pensando."

"Era o que eu pensava. Eu também achava que podia ser um sinal de coisas que estavam por vir."

"Ah, não. Sinais são besteira. Não acredito nesse tipo de coisa."

Não digo nada, mas reconsidero as palavras dele. O que eu acho? Acredito em sinais? Procuro por eles em toda parte, sem nem notar. Sinais de que as coisas vão mudar, para melhor ou para pior. Sinais relacionados a Sam, por que ele está na minha vida e por que continuamos nos trombando. Sinais de que Ed ainda gosta de mim, de que está feliz por ter voltado, de que sentiu minha falta. Sinais de que está mentindo sobre a Daisy e a câmera — como quando achei ter visto algo nos olhos dele. Isso é mesmo procurar por sinais? Ou é... sei lá. Uma intuição?

"Então você não acredita em sinais. Mas e quanto a intuição? O que seu cérebro de montanhista acha disso? Já sentiu o cheiro de um urso a dez metros de distância?"

Sam afasta o café dos lábios para rir. "Sim. Na verdade, sim. Quer dizer, acredito em intuição. Não que tenha sentido o cheiro de um urso." Ele sorri, com as bochechas rosadas por causa da chuva. "Acredito que às vezes a gente simplesmente *sabe*."

"Eu também", digo.

"Ah, é? E o que é que você sabe?"

Olho para ele, para seus lindos olhos castanhos, para aqueles lábios rosados, e sinto uma atração tamanha que quase confesso isso a ele, quase pergunto: *O que é isso que acontece comigo, Sam? Por que olhar pra você é como olhar pra porra do sol?*

"Vai, desembucha." Sam sorri, inclinando a cabeça para mais perto da minha, o que faz seu cabelo escuro cair nos olhos. "O que você sabe, Noelle?"

Engulo em seco. "Nada de mais", digo, baixo.

Mas sinto que sei *bastante coisa* no momento. Sei que estava destinada a conhecer Sam. Não tenho ideia do motivo, não é nada lógico ou racional — eu apenas estava destinada a isso. Assim como sei que tem alguma coisa rolando com a câmera da Daisy e a expressão no rosto de Ed. Só não sei o quê.

Petal funga no carrinho, e fico feliz pela distração. Eu o balanço com o pé, e o movimento a tranquiliza.

"Ela é fofa", Sam diz, como se estivesse contrariado.

"É mesmo." Olho para Petal, os punhos estão fechados ao lado do rostinho redondo. "Tem a vida toda pela frente, perfeita e imaculada, para viver como quiser."

"Né?"

"Diz o homem que tenta enganar a morte."

"Como assim?"

"Você mesmo disse que morre gente todo ano nas montanhas, mas foda-se. Vai continuar trabalhando com isso."

"Sou a favor de dizer 'sim' e entrar em pânico depois." Sam ri, então olha para o café cor de caramelo. "Mas talvez não seja uma questão de enganar a morte. Talvez seja só... olhar nos olhos dela. Dizer que não tenho medo."

"Mas por que alguém normal faria isso?"

Sam inclina a cabeça de lado, faz "bom..." com os lábios, sem produzir som, então solta o ar demoradamente pela boca. "Meu primo morreu quando eu era novo. Ele era... bom, meio descompensado. Bebia demais, usava drogas demais. E morreu. Jovem demais. Tirou a própria vida."

"Sinto muito. Que coisa horrível."

Sam suspira e assente de leve. "Algo nisso faz você perceber que tudo pode terminar num segundo, então de que adianta ficar com medo?" Ele faz uma pausa, abaixa a cabeça e diz, com um sorrisinho: "E quem falou que eu sou normal?". A piadinha me faz entender que Sam não quer revelar mais nada. E eu entendo. Mais do que qualquer outra pessoa, eu entendo.

A chuva bate na vitrine da lavanderia, e as gotas abrem caminho escorrendo pelo vidro, entre o mosaico de panfletos e anúncios. Continuamos conversando. Sam me diz que tem umas semanas "muito loucas" vindo, e sou lembrada de como a vida dele é movimentada, em comparação com esse breve intervalo nessa lavanderia aconchegante. Trabalho, um evento beneficente na Escócia e uma viagem até o Oregon, onde ele mora. "Vou ficar mais ou menos uma semana. É aniversário de sessenta anos da minha mãe. Depois um amigo meu e da Jenna... ele vai se casar."

Faço que sim com a cabeça, mas é como se meu humor fosse uma bexiga que tivesse acabado de estourar. *Bum!* "Como andam as coisas com a Jenna?"

Sam parece desconfortável. Passa um dedo por baixo da pulseira preta do relógio, distraído. "Andam... bem. Mas... não sei se 'bem' é 'bom', sabe? A gente se conhece a vida toda, e é fácil voltar à velha rotina, como as coisas sempre foram, mas foi assim que acabamos nessa confusão e... bom, ela está correndo atrás do visto."

"Pra se mudar pra cá?"

Ele confirma com a cabeça.

"Sei", digo, porque não consigo pensar em outra coisa para dizer. Ele entorna o café, como se fosse uma bebida mais forte.

Alguém solta uma gargalhada do lado de fora, depois ouvimos o som de uma sirene de polícia — o mundo se desenrola do outro lado daquela porta. De repente, me sinto carregada de lágrimas, confusão e emoções que não reconheço, sem ter para onde ir.

"E como anda o Ed, o pediatra?"

"Bem..." Forço um sorriso. *É fácil voltar à velha rotina*, penso, mas não digo. É fácil rastejar até os vazios confortáveis que restaram do passado, como um lugar surrado num velho sofá, e ficar lá, encolhida. É fácil voltar a como sempre foi. Foi assim que acabamos nessa confusão também.

Verifico o telefone. Nenhuma mensagem de Ed. Nenhuma notificação de casa ou de Charlie. Ninguém está precisando de mim para nada. Então ficamos sentados juntos, em silêncio, ouvindo a chuva por um tempo, além do barulho do botão de uma secadora, como uma batida de pandeiro a cada dois segundos. Tudo quentinho. Seguro. Lento. Outra bolha separando Noelle e Sam do resto do mundo.

Meia hora depois, Petal está alimentada e trocada. Isso só foi possível com Sam e eu tirando tudo o que havia na bolsa e gritando ordens um para o outro, como duas pessoas num *game show* — "não, essa mamadeira não!", "isso é uma caixa de saquinhos de lixo, não de lenço umedecido!" e "rápido, rápido!". Agora arrumamos nossas coisas e nos preparamos para sair do reduto quentinho da lavanderia. A chuva parou e o céu está azul. Empurro o carrinho para a frente e para trás no piso de linóleo, enquanto Sam reorganiza a bolsa metodicamente, o que imagino que seja típico de montanhistas. Ele fecha o zíper, com tudo bem arrumadinho e encaixado lá dentro. Depois pega minhas chaves, olha para elas e as chacoalha.

Devagar, ele volta os olhos para mim.

"Noelle, onde conseguiu isso?"

"O quê?"

Sam está segurando o chaveiro quadrado de resina. O velho quadradinho que me ajuda a focar. E está olhando para mim, com os lábios entreabertos num meio sorriso brincalhão.

"É o quadrado que uso pra respirar." Dou risada. Sam

olha para o chaveiro na mão e passa o dedão pelo material transparente. "É um ramo de urze. De verdade, acho."

"Eu tinha um chaveiro assim." Sam olha para mim, depois ri, surpreso. "Sério, eu tinha um *igualzinho*."

"Sério? Tipo, com o raminho?"

"Ééé! Com o ramo, a resina transparente, a argola prateada." Ele olha para o quadrado, engole em seco e volta a olhar para mim, com os olhos vidrados.

"Eu encontrei. Na rua, quando tinha uns dezessete anos."

"Na rua?"

"É, não muito longe daqui. Na frente do centro recreativo, perto do Greggs, o que não chega a ser surpresa, por causa das tortinhas de lá." Dou risada, mas ele não me acompanha. "Sam, você tá bem?"

Ele balança a cabeça, como se tentasse sair de um transe. A risada dele não me convence. "Tô, claro, é só que... o meu era igualzinho. Minha avó me deu quando eu tinha uns sete ou oito anos, e eu... perdi. Era um ramo de urze, para proteção. Ela acreditava nessas coisas."

"*Ai, meu Deus.*" Paro de empurrar o carrinho e olho para ele. "Será que é o seu?"

Sam faz uma pausa, então ri e devolve as chaves à bolsa, depois coloca meu celular no bolso lateral. "Não. Seria maluquice, né?"

"Mas poderia ser!", digo, envolvida. "Você perdeu por aqui? Quando visitava seu pai?"

"Não sei. Talvez. Mas, cara, devem ter feito centenas desses chaveiros... Baratinhos. Tipo de lojinha de museu." Ele pendura a bolsa no carrinho e ajusta a alça, para se certificar de que não vai cair. "Milhares até."

"Mas não é tão comum assim, né? Não é, tipo, um chaveiro da Disney, ou qualquer outra coisa produzida em série."

"Bom, provavelmente também produziram isso em série."
Sam segura a porta da lavanderia aberta. "Vamos. É melhor aproveitar que a chuva parou." Sei que ele quer parar de falar sobre aquilo, qualquer que seja o motivo. Eu também quero. Mas algo borbulha dentro de mim. Imagina só. Se é o chaveiro dele. E todo esse tempo eu o carreguei comigo, algo que Sam antes levava sempre consigo...

"Noelle? Você vem?"

"D-desculpa. Claro."

O ar cheira a terra lá fora, como acontece depois que o sol volta a sair e esquenta a água da chuva no asfalto. Sam verifica o relógio. De repente, quero que me abrace, mas ele se afasta, passando a pochete pelo ombro.

"Bom, obrigado pelo café, Noelle. E *Petal*." Sam estende a mão e passa um dedo pela bochecha gorducha e rosada dela. "A gente se vê." Ele dá meia-volta, e eu o vejo ficando cada vez menor enquanto andamos, como se fôssemos dois ímãs se afastando.

21

CANDICE

Noelle, me liga quando tiver 1 minutinho? Tô em crise!
Preciso de ajuda com o casamento!

Dilly aparece na porta, com o tufo de cabelo loiro modelado como um suspiro e uma echarpe vermelho-sangue comprida e esvoaçante caindo do bolso de trás do jeans *skinny*. Ele está de volta, deve passar três noites em casa. Vai tocar no centro de Bath hoje, mas é claro que age como se o show fosse no estádio de Wembley e tivéssemos sorte de respirar o mesmo ar que ele.

"Fala", Dilly diz, com uma piscadinha lenta, sorrindo para mim.

Congelo, com um barbante na boca e três hortênsias azul-bebê pesadas na mão. "Hum?"

"Fala aí."

Minha mãe olha para ele por cima da caneca de chá. Os olhos dela brilham de orgulho, como se ele estivesse mesmo no palco de Wembley. "Você tá lindo, Dilly", ela diz. "Uma verdadeira estrela do rock. Não é, Noelle?"

"Fiquei bem demais, né?" Dilly dá de ombros, como se ser tão descolado fosse um tédio. "Bom, é o que eu acho. Nota dez."

168

"Você tá ótimo", digo, e ele assente, satisfeito. Não vai dormir esta noite. Nunca dorme quando volta de um show. A adrenalina, a necessidade de contar repetidamente, fazendo sotaques e gestos, como certas pessoas reagiram a determinado solo de guitarra ou a um trecho específico que ele cantou. *Às vezes me sinto como Jesus*, ele costuma dizer, e eu dou risada e pergunto se Jesus não gostaria de levar o lixo para fora.

A porta dos fundos se abre e se fecha. Dilly faz pose no corredor, com o braço magro e branco esticado sobre a cabeça inclinada, como se ele fosse Freddie Mercury. Fico só esperando a falsa surpresa e a admiração de Ian.

A voz dele chega do corredor. "Minha nossa." Aí está. "Por um minuto, achei que fosse Roger Daltrey." Ian aparece na porta da sala, vestido de bege da cabeça aos pés, desde a camisa polo até a calça cargo e as meias. Bege. Sempre bege. "Ouviu o que eu disse, Belinda? Oi, Noelle."

"Oi, Ian", digo, com o barbante na boca abafando as palavras.

"Roger Daltrey", minha mãe repete, sorrindo. "Ele não tá perfeito, Ian? Dá até pra imaginar Dilly no... sei lá, no prêmio MTV."

"Ah, sim", Ian diz, contornando a mesa de centro e puxando a calça na altura dos joelhos ao se sentar. Ele põe um timer em forma de porquinho na mesa. "Embora me pareça que a revista *NME* seria muito mais apropriada pro Dillon. Não sou um especialista em música, mas acho que uma banda de rock como a dele não se encaixa na MTV, que só quer saber de música pop industrializada."

"Ah", diz minha mãe, meio chocada.

"Isso aí", diz Dilly, erguendo o queixo, como se olhasse para algo invisível no ar. "É só baboseira superficial. Gente pretensiosa fazendo pose. Não temos nada a ver com isso."

"Não", dou risada. "Não têm mesmo." Dilly revira os olhos. "Pra que o timer, Ian?", pergunto.

"Quando tocar, é porque a primeira camada do antimofo está seca."

"Aí você tem que aplicar outra camada?", minha mãe pergunta.

"Isso."

"Bem pensado", diz minha mãe. Ela pega o timer e o analisa como se fosse um fóssil raro, depois olha para mim, impressionada. "Ele é muito prendado, não é, Elle? Me lembra do... como chama aquele homem gay lindo, com a voz gostosa? Do tipo limpinho. E bem esperto."

"Eu?", Dilly pergunta, ajeitando o estojo da guitarra no ombro.

"Além de você."

"Nigel Slater?"

"Isso, Noelle! Ele! Ah, é um homem encantador, Ian. Muito prendado. Especialista em todas as coisas do lar. Ele embala a comida em papel pardo. Bifes e outras coisas. Você parece com ele." Minha mãe olha para mim. "Não é, Noelle? Com o filme plástico?"

"Ah, sim", digo. "Filme plástico."

Ian parece muito satisfeito consigo mesmo e se endireita um pouco no lugar. "Bom", ele diz, "acho importante garantir que tudo fique bem embalado na geladeira. Principalmente quando se trata de carne."

Penso em contar a cena para a Charlie depois — mandar a conversa por escrito no WhatsApp, como um roteiro. Ela vai sacar. Vai morrer de rir e dizer: *Ah, Bel e Ian... Eu amo esses dois pra caralho*. Não quero ficar só mandando mensagens perguntando como Charlie está, como se ela tivesse algum defeito em que preciso ficar de olho. Ela foi a uma consulta no psiquiatra com Theo ontem. A prescrição foi de terapia cognitivo-comportamental e antidepressivos, que Charlie começou a tomar esta manhã. Ela ficou com medo de contar ao Theo sobre o que aconteceu no fim de semana, mas, segundos depois de começar a falar a respeito, sei que ficou feliz de ter feito isso. Vi com meus próprios olhos como o alívio que percorreu o corpo dela corou as bochechas. *Eu te amo*, foi tudo o que Theo disse. *Te amo muito.* Chorei no caminho para casa, por Charlie, mas também liberei todas as lágrimas que tinha reprimido na lavanderia. Ainda não sei por que estavam presas. Estou confusa. De verdade. Ontem à noite, me sentei na cama com papel e caneta, depois de ter feito um esboço para Candice, e fiquei tentando desemaranhar minha mente.

Ed era o meu "para sempre", escrevi. *Meu mundo ruiu quando ele foi embora. E agora está de volta. Mas parece fácil demais. Tem algo rolando? Por que ele voltou?* Depois levei as mãos à testa e gemi ao escrever *Gosto de Sam* na página, em seguida acrescentei um ponto de interrogação que não enganaria ninguém, fechei o caderno e puxei as cobertas até o queixo. Estou confusa. Sou uma bagunça de coração, mente, intuição, lógica e uns cinquenta por cento de vontade de fazer uma viagem pelas montanhas, uma escalada. Depois da lavanderia, Sam começou a me seguir no Instagram. Eu tinha mencionado as fotos que tirei das hortênsias no parque e, quando a notificação chegou, senti como se uma flecha tivesse me atingido. *SamAts começou a seguir você.* Ele não posta muita coisa, os poucos registros são de paisagens lindas, nós complexos, tutoriais de como lavar cordas (quem imaginaria?) e fotos de GoPro com legendas do tipo: *Essa belezura ainda funciona.* Mas também tem algumas dele. Uma tirada semanas atrás. Sam e outras quatro pessoas, todos paramentados, com capacete, luvas e sorrisos, e nada além do céu azul atrás deles. Passei horas fuçando o perfil dele, claro, a colcha de retalhos da vida vasta e colorida de Sam Attwood. Cataluña, Chulilla, o monte Elbrus, na Rússia. Lugares lindos que eu só vi em latas de biscoitos, um caleidoscópio de cores e natureza. Também havia uma foto que fez meu corpo esquentar na hora, como se eu tivesse entrado numa fogueira sem querer. Era do ano passado. Sam agarrado numa pedra arenosa enorme, de cor avermelhada, parecendo nem fazer esforço, de costas para a câmera e sem camisa, os músculos amplos, definidos e bronzeados. Fiz uma captura de tela e mandei para a Charlie. Ela me escreveu de volta. *Puta. Merda. Eu tô profundamente excitada.*

"Uau." Ian me olha por cima dos óculos e me tira da minha fantasia musculosa. "Que hortênsias lindas. Pra quem são?"

"Candice. Uma mulher do Jetson's. Uma empresa a deixou na mão, e ela me pediu pra..."

"Cuidar das flores do casamento?", minha mãe completa.

Congelo. "Bom, é", digo cuidadosamente. "Eu disse que não dava, mas que podia fazer um buquê pra ela copiar. Candice comentou que talvez tenha que fazer tudo sozinha, se não encontrar ninguém a tempo, e tá tão em cima da hora..."

"Quando é o casamento?", minha mãe pergunta depressa, com as palavras se atropelando.

"Vinte e oito de setembro. Em Edimburgo. Mas eu teria que ir dia 27. Quer dizer, quem for cuidar das flores." Nem contei à minha mãe quando Candice me ligou e pediu que eu assumisse aquele trabalho, porque a empresa tinha feito confusão e aceitado duas cerimônias na mesma data. Ouvir aquela proposta... nem consigo expressar em palavras como me senti. Foi como se de repente meu coração fosse grande demais para o corpo. Foi como se o ar o me preenchesse e eu flutuasse até as nuvens do céu. Mas eu disse que não. Como poderia deixar tudo em casa e ir trabalhar a centenas de quilômetros de distância, fazendo algo que nunca fiz?

Minha mãe só olha para mim. "Sei."

"Você tem que topar", Ian diz, com um único aceno de cabeça. Eu e ela olhamos para ele como se tivesse feito uma dança folclórica na mesa usando nada além de uma cueca bege.

"Eu adoraria, Ian, mas..."

"Eu fico com a mamãe", Dilly diz, sem tirar os olhos cor de avelã do celular, enquanto passa o dedão fino com a unha roída na tela. "Eu volto no... é, olha só, no dia 27. Meio-dia tá bom?"

Olho para minha mãe com os lábios entreabertos, as palavras entaladas na garganta, tentando arranjar uma frase coerente. "Eu... bom... eu não... eu teria que sair bem cedo. Tipo, cedo mesmo. Umas seis."

Minha mãe assente, olhando para a frente, como se estivesse se preparando mentalmente para uma maratona.

"Sério, já tá em cima demais, e eu nunca..."

"Não", minha mãe me interrompe. "Vou ficar bem. Você... você tem que ir, Noelle. O Ian tem razão." Ela parece prestes a chorar, e eu sinto que vou chorar também, porque... posso mesmo fazer isso?

"Eu não tenho que ir, mãe."

"Tem, sim, Noelle." Os olhos dela brilham, e ela crava os dois dentes da frente no lábio trêmulo. "Você precisa ir."

"Você tem certeza que vai estar aqui ao meio-dia, Dilly?", Ian pergunta, hesitante. Ele pega o iPad e passa os dedos por uma enxurrada de lembretes e contagens regressivas.

"Tenho, sim. Vamos estar em Newcastle, então é tranquilo."

Sinto uma palpitação dentro de mim, como asas se abrindo e levantando voo. Eu posso? Posso mesmo ser a florista do casamento? Um casamento de verdade, com arranjos, convidados, café da manhã no dia seguinte e, é claro, a clássica briga de bêbados suados? E em *Edimburgo*. Sempre quis ir a Edimburgo! Ah, meu Deus, estou passando mal. De ansiedade e nervoso, e penso: *Posso mesmo fazer isso? É uma possibilidade para alguém como eu?*

"Então... posso dizer que sim? Mesmo?"

Minha mãe olha para mim e confirma com a cabeça. "Sim", ela diz, chorosa. As palavras saem trêmulas. "Aceite, Noelle, por favor."

22

"Eu aceitei. Aceitei o convite da Candice."

"Finalmente! Nell, isso é incrível. Quanto você cobrou? Mostrou a lista de preços que montamos?"

"Sim, mas ainda não fechamos o valor. Quero acertar alguns detalhes antes."

"De que tipo?"

E lá vem ele. O Ed que sempre toca no cerne da questão. Direto e certeiro. Achando que qualquer outra coisa é besteira. Nos encontramos um dia depois de eu, minha mãe, Ian e Dilly acertarmos que eu concordaria em cuidar das flores do casamento. A expressão de Ed mudou assim que contei a ele, se iluminando e se abrindo. *Isso é ótimo, Nell. Mas se certifique de cobrar direito dela, tá? Não se venda barato.* Antes que eu pudesse abrir a boca para falar, ele já estava pegando o celular e abrindo o aplicativo de notas. *Quanto você acha que seria de mão de obra?*, Ed perguntou, assim que nos sentamos no sofá. Fui embora do apartamento dele duas horas depois, com uma lista de preços e a cabeça cheia de informações — sobre taxas, lucro e maneiras de economizar. Quase tirou toda a diversão da coisa. Mas só *quase*. Seria preciso muito esforço para cortar o meu barato. Estou parecendo a pessoa que puxa o trenzinho na pista de dança. Com boás de pena e apitos.

"Você já saberia que tipo de detalhe se me seguisse no Instagram. Postei *stories* pedindo indicações..."

"Eu falei que nunca entro", Ed comenta, dando risada. "Mas indicações do quê?"

"De fornecedores em Edimburgo, para começar." Estamos de volta ao sofá dele, alguns dias depois de fazer a lista. Temos nos encontrado cada vez mais, e tenho visto Sam cada vez menos. Mal tive notícias dele desde a lavanderia. Só trocamos algumas mensagens sobre Frank. Mando atualizações e ele só responde com "Ótimo!" ou "Obrigado". No entanto, diferente de Ed, ele às vezes vê meus *stories* no Instagram e curte todas as minhas publicações, me deixando com um friozinho na barriga sempre que abro o aplicativo e tem uma notificação me esperando. O que só aumenta minha decepção quando vejo que não é dele. Recebi uma ontem e fui direto ver o que era, mas é claro que era alguém fingindo ser um soldado temente a Deus necessitado de uma esposa. Só bloqueei o perfil, deletei a mensagem e me xinguei por ser tão carente. Porque ele está com Jenna, claro, voltando a se apaixonar por ela sem precisar se esforçar, com todas as luzinhas e estrelas. Sam não tem tempo de ficar no Instagram, muito menos de reagir a uma foto dos waffles ou do sanduíche de linguiça pesado que comi no café da manhã.

"E o que mais?", pressiona Ed.

"Vou precisar alugar uma van pra usar lá. E reservar um hotel pra ficar e comprar a passagem de trem, porque duvido que meu carro dê conta, e... bom, talvez eu precise de ajuda, então tenho que ver com a Candice se vai ter alguém da assessoria lá, ou qualquer outra pessoa que possa..."

"Opa, opa", diz Ed, apoiando a cerveja na mesa de centro e se aproximando de mim no sofá. "Posso ajudar. Quando é mesmo?"

"Vinte e oito de setembro, mas tenho que ir um dia antes."

Ed assente enquanto verifica o celular, passando a mão pelo cabelo. "Vou trabalhar dia 27, mas saio ao meio-dia, então poderia... pegar um trem e te encontrar lá."

"Não, não, seria maluquice. Não posso te pedir uma coisa dessas. Você vai estar exausto depois do plantão. Lembra quando fomos passar o fim de semana em Dorset? Você *alucinou* no trem."

Ed dá de ombros e ri. Andou tomando sol, e a pele está dourada, com duas manchas bem vermelhas nas bochechas. Aposto que se bronzeou tomando algumas cervejinhas com o pessoal do trabalho.

"Mas foi divertido, não foi? Eu achando que o Denzel Washington estava no banheiro do trem?"

Dou risada. "Você também achou que tinha um dedo no seu sanduíche, mas era só uma fatia fina de presunto enrolada."

Ed ri com vontade e estende o braço atrás de mim, se recostando no sofá. "Viu? Foi divertido. E vai ser legal ir pra Edimburgo com você. Ficar em hotel..." Ele sorri, e os olhos verdes brilham.

"A trabalho."

"*A trabalho*", Ed brinca. Então se inclina, eu viro o rosto e ele beija minha bochecha. Isso tem acontecido bastante. Ele chega perto, e eu acho que eu quero — uma parte grande de mim quer —, mas me viro e ofereço a bochecha, faço piada ou falo qualquer besteira sobre um artigo esquisito que li no BuzzFeed ou o preço dos ovos no Tesco em comparação com o Waitrose. No outro dia, estávamos no sofá vendo tv quando a mão dele encontrou a minha. Na hora fiquei surpresa com como me pareceu certo aceitar aquela mão, apertá-la, sentir os dedos dele escorregarem por entre os meus, pesados e familiares nas minhas pernas. Entramos numa espécie de rotina, o que foi o bastante para que ontem eu contasse para a minha mãe e para a Charlie.

Minha mãe não ficou tão feliz quanto eu achei que ficaria, e Charlie tirou os olhos da agenda, com a pele pálida.

Por que você não me contou?, Charlie perguntou, depois se retraiu como um siri e baixou os olhos para as próprias pernas, magoada. Contei tudo a ela: disse que tinha medo de que me dissesse que era uma má ideia, o que eu não estava pronta para ouvir, porque tudo vinha parecendo muito natural, confortável e fácil.

Mas tem certeza de que não é só conveniente pra ele?, ela perguntou. *Digo, é o que parece. Ed volta e você tá lá esperando. A antiga vida dele. Deve ser bom pro cara simplesmente voltar e se encaixar na hora.* Mas eu disse que também era bom para mim, voltar a me encaixar. Em Ed, meu cobertorzinho quente, meu tudo.

Passamos bastante tempo juntos na vida, eu disse. Como Sam e Jenna, queria acrescentar, mas não falei.

Ela franziu a testa, mas acabou aceitando. *Acho que eu só estava esperançosa com o Sam. É como uma história de amor que eu e Theo acompanhamos de longe.* Senti meu coração se despedaçando quando a perguntinha *Gosto de Sam?* passou pela minha mente, como um avião desenhando palavras no céu.

"Como vai ser com a sua mãe?", Ed me pergunta agora, se inclinando e pegando um punhado de amendoins de uma tigela feia salpicada de tinta na mesa de centro. Não gosto muito de ficar aqui, no apartamento dele, e acho que é porque pertence a um médico de cinquenta e tantos anos que no momento se encontra em Dubai, com a esposa de vinte e poucos anos. Parece mesmo a casa de um desconhecido.

Tudo é branco, cromado, equivocadamente decorado. Algo que o cara deve ter visto e pensado que o faria parecer jovem e descolado, quando na verdade só o faz parecer um Austin Powers contemporâneo.

"Dilly vai ficar com ela. Vai chegar na hora do almoço."

"Ela ainda precisa estar sempre acompanhada?"

Dou de ombros, mas eles param rígidos na altura das orelhas, como se estivessem engessados. "Você sabe que sim."

"É que... você disse que ela tá melhor."

"E tá", insisto. "Em alguns sentidos. Mas..."

"Você ainda precisa de alguém pra ficar de babá." Ed suspira e se recosta no sofá. "Nell, você sabe o que acho disso. Que não deveria caber a você..."

"Ela não tá bem, Ed."

"Então ela precisa de ajuda."

Voltamos a isso com a facilidade com que voltamos à nossa rotina — é como um arranhão no disco, onde a agulha sempre empaca. As opiniões de Ed sobre como levo a minha vida e como minha mãe leva a dela. Abro a boca para falar, mas a princípio não sai nada. Já tivemos essa conversa tantas vezes. Foi o início de tantas discussões, e minha relação com a minha mãe carrega ainda mais peso hoje. Porque, no fim, foi o que se colocou entre mim e ele. Foi o motivo da nossa separação.

"Ela precisa querer ajuda", digo cuidadosamente, mas as palavras saem cortantes.

"E talvez ela quisesse, se você... se ela *não tivesse* a sua."

Solto uma risada irônica e me afasto um pouco. "Ah, por que é isso que a gente faz com quem não tá bem, né? Para de ajudar. Um *médico* dizer isso..."

"Nell, não tô dizendo pra negligenciar sua mãe." É ele quem ri agora, como se eu estivesse sendo ridícula e tivesse entendido errado. Então pega minha mão. "Só tô dizendo... você sabe o que eu tô dizendo."

"*Eu sei.*" Suspiro. "Mas não dá pra simplesmente *desligar* ansiedade e depressão. Sei disso. Você sabe que eu sei." E acho que você também saberia se tivesse me visitado na época, se tivesse aceitado ficar longe das festas sem fim e dos barris de cerveja barata por mais do que um fim de semana, quando só suspirava e olhava impotente para mim, como se eu fosse um carro enguiçado.

"Mas ela teve a vida dela, Nell. Viajou, fez tudo o que queria e... você poderia..."

"Eu sei", repito. Sim, Ed, eu poderia ter feito qualquer coisa. Poderia ter ido para os Estados Unidos com você. Poderíamos ter tido tudo. Eu poderia ter sido a Noelle com quem você queria desesperadamente começar uma vida, longe daqui. Então deixo escapar. "*Por que* você voltou?"

Ed inclina a cabeça de lado, estreitando os olhos e contraindo o rosto naquela expressão clássica e infame. "Como assim?"

"Quero saber por que você voltou. De verdade. Você queria tanto ir embora, queria uma vida nova, num lugar diferente..."

"Eu... recebi uma oferta de emprego, Nell."

"Você conheceu alguém lá?"

Ed congela, com os olhos arregalados, sem piscar. É a expressão que já notei. De quando perguntei sobre a câmera da Daisy. Pena, preocupação... como se escondesse algo. Então ele inspira fundo, como alguém que se prepara para cantar ou dizer algo importante. "Nell, não quero mentir..."

"Então sim. Você conheceu alguém."

Ed volta a respirar fundo e me encara. "Conheci."

Fico paralisada. Parece um *frame* de um filme. Um nó

se forma na minha garganta. Fico só olhando para Ed. Não é como se eu esperasse que ele nunca mais olhasse para outra pessoa. Claro que não. Mas, ouvir pela primeira vez, saber que ele beijou outra pessoa, tocou outra pessoa, contou para *outra pessoa* todas as anedotas que me faziam chorar de tanto rir, que pareciam ser apenas para mim... dói um pouco, é como jogar vinagre na ferida.

"Mas ninguém que valha a pena mencionar", ele diz, pegando minhas mãos.

"Sério?"

"Sério. Só saí algumas vezes."

Penso na mulher com os cachos castanho-avermelhados, em como fiquei obcecada por ela. No entanto, aparentemente, nem vale a pena falar dela. Ela me fez perder noites de sono no começo. Eu ficava sentada pensando, a tristeza e a inveja tão fortes que me davam palpitações.

"Nell, o que está acontecendo?"

Olho para ele e balanço a cabeça. Sinto que murcho, como um brinquedo de piscina furado. "Não sei. Eu tô... confusa."

"Sobre?"

A tv mostra carros de corrida zumbindo na pista, dando voltas sem fim, cada vez mais rápido, a uma velocidade estonteante.

"Tudo. Isso. Você e eu. O que é isso?"

Ed passa o dedão pelas costas da minha mão, sentindo as elevações dos nós dos dedos. "Por que precisa ser alguma coisa?", ele pergunta, calmo. "Por que não podemos só... deixar que seja o que é?"

"E o que é?"

"Nós dois colocando o papo em dia. Voltando um pouco no tempo. Não é um crime, é?"

"Não."

Ed estende a mão e acaricia minha bochecha. "Não tá feliz por eu ter voltado?", ele sussurra.

Faço que sim com a cabeça.

"Eu tô", ele diz. Dessa vez, quando Ed se inclina, eu deixo. Deixo que a pele quente dos lábios familiares pressione os meus. Derreto. Senti falta dele. Senti falta da segurança, da vida que tínhamos — da vida que nós quase tivemos. E voltar no tempo não é algo que todos queremos de vez em quando?

23

Três semanas se passam num borrão. Encontro Ed bastante, para comer e caminhar pela cidade depois do plantão dele. Gosto de estar totalmente envolvida com o casamento. Vejo tutoriais no YouTube sobre como preservar as flores e o momento certo de tirar o buquê da água e entregar à noiva, ligo para o hotel para conferir outra vez que eles têm uma sala escura fresca em que eu possa trabalhar e fico em contato com o fornecedor de flores em Edimburgo. Até recebo uma ligação da assessora de Candice e fico vermelha de empolgação enquanto ela fala. *Sou a florista de um casamento!*, quero gritar para pessoas aleatórias enquanto trabalho e cumpro as tarefas entediantes de sempre, sentindo que meus sapatos têm molas. *Estou cuidando das flores do casamento de alguém agora mesmo, e todo mundo me trata como se eu fosse ótima! Eu!*

"Você é ótima", Charlie disse ontem, sentada à mesa da minha cozinha, ajeitando as folhas de outro teste de buquê. "Tipo, olha só pra isso. Se eu tentasse fazer algo do tipo, ia parecer que passei na bunda da Petal, depois bati na cabeça do Theo com o buquê. Você é muito boa, Elle. Até demais. Acredita em mim." Pela primeira vez na vida, me permiti acreditar nela. Talvez eu possa mesmo fazer isso. Talvez possa expandir um pouco meu mundo e perseguir sonhos como se fossem bexigas soltas, como as outras pessoas fazem. Não sei de que modo as coisas se dariam, mas desde que aceitei o convite de Candice e Steve, tudo me parece possível. Uma faísca se acendeu dentro de mim, gerando uma chama que não quer se apagar.

"Você pode ser sua própria florista", Charlie disse em seguida, com um sorriso. "Quando se casar com Sam."

"Não vou me casar com Sam", respondi, e ela se inclinou e beijou minha bochecha.

"Diz isso pro Theo. Ele tá convencido de que você vai." Não consegui evitar sorrir de volta. Minha Charlie sorrindo, com as bochechas parecendo maçãs vermelhas. Ela está chegando lá. A medicação funcionou, e os pais dela se ofereceram para ficar com Petal toda sexta, de modo que ela e Theo possam sair juntos — ou dormir, que foi exatamente o que eles fizeram nas duas primeiras vezes. Charlie gastou trinta libras em ingredientes orgânicos no Waitrose na última sexta, enquanto receitas da Deliciously Ella que ela tinha imprimido despontavam da bolsa, mas no fim os dois acabaram dormindo às oito, com a barriga cheia de torrada com Nutella. Na manhã seguinte, Charlie me mandou uma foto da Petal toda fofinha e de olhos arregalados. Chorei com a mensagem que chegou a seguir: *Minha menina. Fiquei com saudade.*

Estou chegando no Frank agora. Pego a chave e faço menção de enfiá-la na fechadura, mas a porta se abre antes disso.

"Você fez maravilhas aqui", Sam diz, de pé na entrada. Está bronzeado e sorridente. Quando segura meus ombros com as mãos grandes e quentes, sinto que meu coração vai saltar do peito e explodir, como um show de fogos de artifício acima de nós. Eu não esperava vê-lo. Não me sinto preparada, embora nem tenha certeza do que isso significa. É só uma pessoa, afinal de contas, e não uma prova de ciências.

"Você é um gênio", Sam insiste.

"Oi pra você também." Dou risada, e um calor sobe pela minha espinha. "Acha mesmo?"

"Com certeza", Sam abre caminho para mim. "Até o cheiro tá diferente. Cheira a... sei lá, lavanda?"

"Desinfetante de lavanda. Um dos aromas mais exuberantes que existe para o cri-cri do Frank."

Sam geme, e a boca se contrai. "Ele continua sendo um babaca?", Sam pergunta, baixo.

"Ah, cem por cento", sussurro enquanto o sigo para dentro, e o calor do apartamento me atinge como alguém saindo do aeroporto para o bafo de um país tropical. "Ele me odeia. Me despreza. Talvez o mundo também, por isso tento não levar pro pessoal."

"Se ajuda, acho que no fundo ele gosta de você."

"Claro que sim."

"Confia em mim, Gallagher." Sam olha para mim, por cima do ombro. Os olhos escuros dele brilham com a piada interna do meu novo apelido, e sinto meus joelhos fraquejarem. "Bom, vamos pra cozinha. Tenho uma coisa pra você."

"Pra mim?"

Atravessamos o apartamento juntos. Sam está bonito. Como sempre. Eu queria estar usando outra coisa que não a camiseta folgada e a *legging* que enfiei hoje de manhã, na pressa, quando minha mãe me chamou do quarto dela porque não conseguia alcançar o chinelo esquerdo. Ele está usando uma camiseta branca, que deixa os braços musculosos à mostra, e cheira a... ah, não sei, é o cheirinho maravilhoso dele. Banho, roupa lavada e sol na pele. *Queria que você tascasse logo um beijo no Sam*, Charlie disse depois que contei que eu e Ed tínhamos nos beijado. *Você insiste que não gosta dele assim, mas tenho que dizer que não acredito.* Olhando para Sam agora, moreno, bonito e alto, meio que quero mesmo tascar um beijo nele. *Não, não, não.* Tenho que me lembrar de Jenna. Tenho que me lembrar de Jenna e Ed, e de números de telefone amassados e deixados em bancos fedorentos de hospitais.

"Oi, Frank", cumprimento quando passamos pela sala.

"Oi", ele diz, como se alguém apontasse uma arma para a cabeça dele, mas ainda assim é uma vitória.

"Olha só", sussurro para Sam. "Um a zero pra Noelle Butterby."

Sam dá risada e entra na cozinha. "Não falei?" Então se inclina para procurar algo em uma sacola de compras grande no chão. Quando se levanta, está segurando um buquê de junquilhos, embrulhado em papel pardo. São *lindas*. Maravilhosas, rosa-coral, com as pétalas abertas parecendo prontas para cantar. "Pra você", ele diz.

"Pra mim? Mas... por quê?"

"O velho é um babaca", Sam diz, direto. "E você fez um trabalho incrível, e tão rápido. Eu tava pensando no que você disse sobre confiar na intuição, e quando passei por essas flores... não sei. Algo me disse que devia comprar..."

Abro a boca para falar e acabo abrindo um sorriso largo e sincero. "Você sabe que... junquilhos simbolizam confiança?" Quando me ouço dizendo isso, os pelos dos braços se arrepiam.

"Sério?"

"Sério. E são minhas flores preferidas. Os primeiros bulbos que consegui cultivar." Não preciso de um espelho para saber que meu rosto está pegando fogo. E mais para lagosta do que para lagostim. "Obrigada. Sério mesmo, Sam, você não precisava ter feito isso."

"Sei que não precisava, mas... bom, como é sempre você dando flores pros outros, pensei que..." Ele deixa a frase morrer no ar e passa a mão pelo cabelo, depois para na nuca.

"Obrigada", repito, e ele sorri suavemente. "Pode deixar na água pra mim?"

"Claro." Sam começa a encher a pia vazia, e água espirra nas saliências do escorredor. Sinto como se meu coração se abrisse no peito, tal qual uma caixa escancarada, disparando raios de sol por todo o meu corpo.

Charlie diz que não acredita em mim quando falo que não gosto de Sam. Eu mesma não acredito. O ponto de interrogação, como se fosse fumaça, se transforma em nada.

Sam volta do centro da cidade duas horas mais tarde, e faço um intervalo com ele na sacada do apartamento. É o fim de um dia de agosto e está quente. O céu tem a cor do mar e as nuvens parecem redemoinhos de creme numa taça de café. Não tem nada aqui a não ser o som da televisão de Frank e os ruídos distantes da casa dos vizinhos, saindo pelas janelas abertas.

"Como vão as coisas?", Sam pergunta.

"Indo", digo, pegando uma cadeira de jardim para me sentar. "Isso vale?"

"Vale." Sam ri. Ele se recosta no concreto da parede da sacada e apoia o braço bronzeado no parapeito de metal. Então tira dois sacos de papel das costas. "Mão esquerda ou direita?"

"O que é?"

"Tortinhas."

"Você comprou *tortinhas*?"

"Comprei."

Um sorriso toma conta do meu rosto. Eu me inclino para a frente e tento pegar um dos sacos para ver o que tem dentro, mas Sam puxa para si. "Opa", ele provoca. "Entra no jogo."

"Tá. Esquerda."

Ele me passa o saco de papel branco e eu abro. "Não sei do que é. Tenho que morder pra descobrir?"

"Isso."

Eu mordo, tomando cuidado para não sujar o queixo e olhando para ele como se tivesse me flagrado em uma competição de quem come mais em uma feira no interior. "Eba! Um clássico. De carne com batata. *Perfeito*."

"Ah, droga", diz Sam, abrindo o outro saco de papel já engordurado. "Então eu peguei a de frango com curry."

"Isso significa que sua primeira experiência com tortinhas inglesas vai ser com um sabor estrangeiro." Dou risada enquanto Sam examina o salgado na mão. "Você é mesmo viciado em adrenalina."

Sam morde a dele e assente para mim. "Tá, tá. Acho que é... bom?"

"Virou fã?"

"Acho que sim."

"Ah, que alívio. A gente nunca mais ia se ver se você tivesse detestado."

"Que nada." Ele sorri. "Você orquestraria outra nevasca. Roubaria outro chaveiro..."

"Então você admite?", eu o corto, apontando para ele na mesma hora. "Que o chaveiro talvez fosse o seu e que talvez tenha sido a mesma enfermeira..."

"*Não*. Era brincadeira."

"Mas não acha que é esquisito ficarmos trombando um com o outro, como se fosse tudo uma grande coincidência?

Você vive aparecendo na minha vida." Quando as últimas palavras saem da minha boca, fico feliz por poder me esconder atrás da tortinha, embora acabe derrubando uma porção de migalhas na blusa durante o processo.

"Acho que sim", ele diz. "Mas é um mundo pequeno..."

"Não tão pequeno assim." Sam olha para mim, mas não diz nada. "Minha amiga Charlie quer saber se você foi no show do Green Day em Milton Keynes em 2005. A gente foi."

Sam sorri, e três linhas de expressão surgem na testa dele, como se ele só quisesse me agradar. "Hum, não."

"Em que escola você estudou?"

"Na St. Agnes. No Oregon." Ele ergue uma sobrancelha, brincalhão. "Você também estudou no Oregon, Noelle Butterby?"

Reviro os olhos. "Come logo essa tortinha."

Ficamos na sacada por um tempo, olhando o céu azul de verão e as árvores no horizonte, com Bath magnífica à distância, as construções cor de biscoito parecendo castelos de areia. Como sempre acontece quando Sam e eu estamos juntos, conversamos sobre tudo e sobre nada, eu o tempo todo com uma queimação no estômago, um formigamento na pele e o coração batendo um pouco mais acelerado. Ao mesmo tempo, é como se eu não precisasse dizer nada. Não preciso me impor, não preciso me vender. É isso o que eu faço? Eu me vendo quando estou com Ed? E, se for o caso, por quê? O que estou tentando provar?

"Tudo bem aí?", Sam pergunta.

Sacudo a cabeça, como que para afastar os pensamentos, e digo: "Adivinha só, Samuel Attwood".

Ele tira os olhos da tortinha e lambe os lábios. "O quê?"

"Fiz um acordo e tô entrando em pânico, como você diria. Agora mesmo. Diante dos seus olhos."

"Ah, é?"

"Com a Candice, do Jetson's."

"Candice dos *post-its*?"

"Isso, a Candice do Steve." Confirmo com a cabeça. "Ela pediu que eu cuidasse das flores do casamento dela. E eu aceitei. Tô morrendo de medo. Tipo, literalmente. Mas vou fazer isso."

Sam olha para mim e abre um sorriso lento e sincero. "Noelle, isso é incrível."

"Bom, nem tanto ainda, porque posso estragar tudo. E não fiz nada até agora. Ontem fiquei pensando que tenho o poder de acabar com o dia deles e..."

"Mas você aceitou", disse Sam, se atendo aos fatos. "Você disse 'sim'. Isso... é corajoso."

Baixo os olhos para as pernas e espano algumas migalhas perdidas. Não consigo olhar para ele. Às vezes, olhar nos olhos de Sam faz com que eu me sinta nua. Como se ele pudesse ver coisas demais em mim. "Obrigada. Mas não tenho certeza de que eu teria aceitado se você não tivesse falado pra dizer 'sim' primeiro e depois entrar em pânico, sabe? Encarar a morte e... bom, casamentos não são a morte, apesar de representarem isso pra algumas pessoas..."

Sam ri verdadeiramente, com a mão na barba escura e por fazer.

"Só pensei 'foda-se'. Quero fazer isso. Por mim. Porque às vezes parece que tô ficando pra trás, ou algo do tipo. Que ninguém me vê, sabe? Pensei 'bom, *eu* me vejo'. Não é? E é isso o que eu quero fazer."

Sam hesita, e a testa se franze sob o cabelo escuro. Ele passa a mão na franja. "É. Claro. Exatamente." E é tudo o que diz.

"Ed falou que vai me ajudar. O casamento é na Escócia,

então preciso comprar a passagem e ver outras coisas, mas ele vai me encontrar lá. Pra ajudar. E ficar comigo."

Sam endireita o corpo quando digo isso. As sobrancelhas escuras se erguem. Ele enfia as mãos nos bolsos e fica rígido, com os ombros bem abertos. "Que legal. Que bom que o Ed, o pediatra, compareceu quando necessário."

"É. Muito bom."

"É. Total."

O silêncio a seguir parece denso e carregado, como estática. Sam chuta o piso da sacada com a ponta do tênis, e eu fico mexendo no saco de papel com as mãos. Finjo ver algo à distância, mas nem preciso, porque ele não olhou mais para mim.

"Pensei em pegar o trem noturno", digo, interrompendo o silêncio. "Sempre quis fazer isso. Desde criança."

"Faz isso, então", Sam diz, agora me olhando. "Quando é o casamento?"

"Vinte e oito de setembro."

"Ah. É o mesmo dia do evento beneficente que eu falei. De montanhismo."

"Você parece muito animado com isso", brinco, e ele ri.

"É, bom... não é meu tipo de coisa. Vou ter que usar terno, dançar e..." Ele dá de ombros, faz uma careta e sorri. Seus dentes roçam o lábio. "Mas vai ter bebida. E comida. E vão nos vender num leilão de caridade, como guias ou sei lá. Foi num salão de baile em Manchester no ano passado. Imagina só, *eu*, um cara que gosta de passar o tempo pendurado em rochas, num *salão de baile*."

Dou risada, mas fico pensando que ele deve ficar perfeito em um salão de baile, usando terno, ou de qualquer jeito. "Onde vai ser este ano? Ah... *porra*. Na Escócia! Não foi o que você falou? Quando tocou no assunto? Na lavanderia?" Meu coração dispara. É como se batesse nos meus ouvidos.

"É. É em..."

"*Edimburgo*", dizemos juntos. Os olhos de Sam se arregalam. Ele passa a mão no queixo, devagar, enquanto eu digo: "Puta merda. *Onde?*" Minha voz sai tão aguda que quase fura meus tímpanos.

"Hã... uma casa noturna grande e famosa, de acordo com meu amigo Clay. Por quê?"

"O casamento. Da Candice e do Steve. Vai ser num hotel. Em *Edimburgo*. Nossa."

Sam ri, mas é uma risada tensa, de nervoso. Ele olha para os próprios pés. "Que esquisito."

"Só esquisito? Nós dois vamos estar em Edimburgo, Sam. Vamos estar em Edimburgo ao mesmo tempo, no mesmo fim de semana..."

"É uma cidade grande", ele diz, e eu o encaro. "E um mundo pequeno. O que tem?" Sam ri.

Balanço a cabeça, e os cachos sacodem nos ombros. "Nada", digo, mas o que eu realmente quero fazer é grixtar, ligar para a Charlie e o Theo e contar tudo, ou me sentar no chão, espalhar todas as provas e tentar descobrir por que isso está acontecendo, como se fosse um drama policial. Se não tivéssemos conversado a respeito, talvez acabássemos nos trombando de novo ao andar por Edimburgo. É mesmo esquisito. É esquisito e maravilhoso, e sinto algo efervescendo embaixo da pele, como se fosse explodir na superfície.

"Talvez a gente se cruze", é tudo o que eu digo.

"Se eu conseguir fugir das horas de discursos", é o que Sam diz, e uma parte de mim quer pegá-lo pelo colarinho e perguntar o que ele acha que isso significa. Porque Sam sempre parece irritantemente relaxado, quase desdenhoso. Como se eu acreditasse em contos de fadas e coisas do tipo, e ele fosse velho demais para esse tipo de coisa.

"Discursos. Parece muito com um casamento."

Sam assente. "Talvez tenha sido por isso que nunca quis um."

"Nunca quis se casar, você diz?"

Ele faz que sim com a cabeça. "Jenna sempre quis."

"E por que você não?"

Ele dá de ombros e baixa os olhos, voltando a chutar o chão da sacada, como alguém poderia chutar um pneu, sem objetivo e com cuidado. "Acho que sempre associei casamento com, tipo assim, uma vida sossegada, animais de estimação, filhos, duas férias por ano, cerquinhas brancas..." Ele sorri para mim. "Não sei, não sou assim. Jenna também não era, mas agora..."

"Agora é?"

Sam confirma com a cabeça.

"E acha que um dia você vai ser assim?"

Sam olha para o próprio café, depois para mim, com um leve sorriso. "*Carros* podem funcionar como confessionários, Gallagher. Sacadas são só pra comer tortinhas."

24

O sol de outono brilha mais forte que o normal do outro lado da janela embaçada do trem, como se soubesse que o dia de hoje é algo totalmente inédito para mim. É um dia especial: um início. É o dia em que vou para *Edimburgo*. Longe de casa. E não só isso: quando eu chegar ao meu destino, será para trabalhar como *florista em um casamento*. Sim. Eu. Noelle Butterby, *florista para casamentos e eventos em geral*. Ed vai se juntar a mim depois, vai me ajudar, vai ficar comigo em um hotel cinco estrelas. Só precisa cumprir o plantão no hospital. *Vida*. Sinto que, neste momento, estou vivendo a vida, junto de todas as outras pessoas.

Uma mulher entra no trem puxando uma mala de rodinha vermelho-rubi, então a põe no bagageiro. Ela se senta na minha frente, conecta os fones de ouvido e dá um gole no café, cujo vapor solta um perfume doce e persistente. Passo por esse tipo de trem quase todo dia, ouço o barulho à distância enquanto lavo a louça ou tiro o lixo na ruazinha sem saída onde moramos. Agora estou dentro de um deles, que vai me levar a quilômetros de distância do meu mundinho seguro para... bom, para um mundo maior. Para a vida que eu quero. A vida que sempre esperei poder ter.

A voz do maquinista sai dos alto-falantes, abafada e profunda. Ele fala da rota, do carrinho de bebidas e da previsão do tempo, enquanto as casas passam depressa, como um borrão aquarelado, e sinto que estou sendo levada embora. Tudo neste momento é perfeito.

Às dez e meia, com um podcast tocando nos fones, pego os sanduíches de presunto que fiz ontem à noite, enquanto do outro quarto minha mãe gritava o nome dos itens que, segundo ela, deveriam estar na mala a todo custo. *Desodorante? Paracetamol? Ah, quantas calcinhas você tá levando? Acho que quatro é pouco, Noelle. É como Dilly diz: sempre conte com dois acidentes. Uma a mais em caso de virose e outra em caso de bebedeira.* Às onze e quinze, três horas depois que o trem saiu, uma ligação corta a música, me interrompendo enquanto listo no caderno (usando uma das doze canetas que havia guardado em meio ao pânico da arrumação) tudo o que eu precisaria fazer ao chegar em Edimburgo.

"Sou eu, Noelle", ouço a voz de Dilly dizendo assim que atendo. "É a porra de um pesadelo."

Meu coração para na hora. "O que foi? O que aconteceu?"

"A van quebrou."

"*Quê?*"

"A van quebrou no meio da estrada. Estamos esperando pela assistência. Só que a gente não tinha contratado nenhum seguro antes, então tivemos que resolver isso primeiro, e eles disseram..."

"Dilly, não tô ouvindo direito."

"Bom, eu tô no meio do acostamento!", ele grita.

"Quando você acha que vai conseguir chegar em casa?"

Dilly suspira audivelmente, enquanto um caminhão passa a toda velocidade, buzinando. "Desculpa, Elle. Ainda estamos em Newcastle."

Eu me levanto, preocupada. Uma mulher amamentando

no assento da frente olha para mim. Só vejo as duas perninhas agitadas de um bebê por baixo do cobertor branco. Volto a me sentar.

"Que horas vocês saíram?" Inspiro fundo, mas o coração bate como se disputasse uma minimaratona, como se fosse tentar ir daqui até a Escócia correndo sozinho. "Como você pode estar em Newcastle ainda?"

"Saímos faz uma meia hora. Talvez uns quarenta minutos."

"Dilly, são mais de onze." Estou descontrolada. Sei disso porque *soo* descontrolada.

Não consigo acreditar nisso. Não consigo acreditar que ele saiu tão tarde. Minha mãe está sozinha, mas não acha que vai continuar assim por muito tempo. Algo borbulha dentro de mim, como ondas quentes e ácidas. Raiva. Tristeza. Pânico. É a *isso* que me refiro. É a isso que me refiro quando digo que sinto que as pessoas não me veem...

"Dilly, você ia ficar com a mamãe..."

"Eu sei, eu sei, mas o que posso fazer? Não sou o motorista, a van não é minha... Elle? Elle, você ainda tá aí?"

Eu desligo e fico olhando para o celular, como se esperasse uma resposta para toda a confusão. Então ligo para Ian. Cai direto na caixa postal. Ainda estou olhando para a tela quando vejo uma mensagem de Dilly — "Desculpa" — aparecendo no topo, uma janelinha patética que não ajuda em nada nem serve de consolo. Uma gota no oceano, como dizem.

Minha mãe está sozinha. Dilly está preso na estrada. E não posso fazer nada a respeito, porque estou em um trem frenético a caminho da porra de Edimburgo. Na Escócia. A centenas e centenas de quilômetros de distância.

Ed.

Daqui a pouco ele sai do plantão.

Mando uma mensagem para que me ligue assim que possível, depois mando outra para Ian e outra para Dilly, pedindo que meu irmão ligue para minha mãe e fale para ela ficar tranquila, porque *Noelle vai dar um jeito. Ela sempre dá um jeito.* Fico envergonhada quando minha mãe liga duas vezes dez minutos depois, e eu só olho para a tela. Sei que ela vai ficar preocupada, mas ainda não tenho a solução, como sempre tenho. Eu me levanto e ando pelo vagão, que sacoleja enquanto avança pelo campo. Quero sair do trem. Quero que ele pare e dê meia-volta. Me sinto mal. *Me sinto muito mal.* Como se talvez fosse mesmo precisar daquelas calcinhas extras.

Vou ao banheiro e fecho a porta com força. Abro a janela e inspiro o ar fresco e puro. Vai dar certo. Vai dar certo de alguma forma. Sempre dá. Olho para a vegetação passando, para o borrão de arbustos, para o céu azul infinito. Penso em Sam. Ultimamente, sempre que não sei o que fazer, penso em Sam. E quando *sei* o que fazer. Na verdade, penso nele o tempo todo. Sam está sempre na minha mente. Então o celular vibra, como se o universo tivesse pena de mim e me jogasse uma migalha.

"Ed."

"Oi, Nell", ele diz, relaxado. "Já estou indo pra estação. Tomei banho no trabalho. Saí um pouco mais cedo e..."

"A van de Dilly quebrou."

"Como?"

"Dilly. Você recebeu minha mensagem? Ele ainda tá em Newcastle. Parado no acostamento."

"Mas... ele disse que chegaria ao meio-dia pra ficar com a sua mãe..."

"Eu sei, mas a van com a banda toda... quebrou."

"Ah, merda." Ele bufa. "Que droga. Você precisa que eu pegue alguma coisa?"

"Não. Não, na verdade, eu estava pensando se você não podia..." Engulo em seco. Por que é tão difícil? *Por que estou nervosa?* É o Ed. O amor da minha vida, supostamente. Por que tenho essa sensação, quando tudo o que estou fazendo é pedir a ajuda dele? "Você pode ir ficar com a minha mãe?"

Ed faz uma pausa. O silêncio é carregado e doloroso. "Quê?" Consigo imaginar o rosto dele. Petrificado. Um rosto que diz: *isso não tem o menor sentido.*

"Eu sei, Ed, sei que pedir isso é *demais*, mas se você for pra lá agora vai poder estar com ela ao meio-dia, aí talvez eu consiga falar com o Ian, ou até mesmo com o Gary, do 21, pra..."

"Não, Nell. Não vou fazer isso. Vou pegar o trem e vou pra Edimburgo com você..."

"Mas não posso ir pra Edimburgo se..."

"Isso tem que parar."

"Tá, mas preciso pensar em algo *agora*, e não tenho como parar *a porra do trem*, Ed..."

Estou gritando e sei que devem estar me ouvindo do outro lado da porta. A louca que parecia ter tudo sob controle minutos atrás está pirando lentamente em um banheirinho de trem que cheira a desinfetante e perfume barato.

"Nell, é uma grande oportunidade pra você. Você não vai dar as costas e perder isso."

"Por favor. Vai lá ficar com ela." Agora estou chorando. Minhas palavras saem trêmulas e patéticas.

"Não, Nell. Sinto muito. Não concordo com isso. Se eu for, nada nunca vai mudar. E vou perder o trem."

Fecho os olhos e recosto a cabeça na parede. Lágrimas rolam pelo meu rosto. Uma montagem de lembranças parecidas passa pela minha mente. Ed irritado, Ed desesperado com a minha vida ridícula. Minha mãe e tudo o que ela fez por mim quando me perdi. As mãos delicadas dela me ensaboando no banho, as várias bandejas de comida que levou para mim na cama, com todo o amor. Foi ela quem me reergueu. E onde estava Ed? Na universidade, riscando a droga dos itens da lista dos McDonnell.

"Noelle, o que eu quero é estar presente pra *você*. Isso já deveria ter acontecido há muito tempo..."

O celular apita no meu ouvido. É uma chamada de Ian. "Já te ligo."

Desligo antes que Ed possa dizer alguma coisa. Em cinco minutos, Ian já está entrando no carro e indo para casa ficar com a minha mãe. Largando tudo por ela.

25

"Steve, ela é a gênia de quem eu estava falando. Noelle Butterby. Você conhece a Noelle, certo? Do trabalho? Deve se lembrar dela..."

Steve, do departamento de vendas, me dá um abraço de urso, depois se afasta para me olhar, com um sorriso largo no rosto barbado. "Eu lembro!", ele grita. "Claro que sim. Ah, Noelle, somos muito gratos, é tudo o que posso dizer. Você nos salvou."

"Ah, imagina, é um prazer. Estou superanimada com o trabalho." E é verdade, estou mesmo. Chorei um pouco no trem, depois que Ian saiu correndo para ir até a minha mãe. Ed ligou algumas vezes, mas fiquei olhando para o telefone, sem atender, enquanto a paisagem passava como um borrão pela janela. A confusão me corroeu por dentro e cheguei no meu limite, quase mergulhando no abismo, na preocupação e no desespero de pensar: *Não consigo fazer isso. Olha só. É a prova de que não consigo, de que não posso, de que não tenho o direito.* Então recebi uma mensagem de Candice e outra de Sam dizendo: *Você consegue, Gallagher,* e foi como se a luz do sol me banhasse. Eu senti que podia. Lavei o rosto, pedi várias bebidas e atendi a ligação de Ed (que explicou calmamente, preto-no-branco, por que ele disse o que disse, e ambos concordamos em esquecer aquilo e não deixar que nada disso estragasse o fim de semana). Quando o trem chegou, eu já estava toda empolgada de novo.

Agora, Candice está puxando uma banqueta e sinalizando com os braços recém-bronzeados e as unhas quadradas e pintadas para que eu me sente. "É ótimo ter você. Sério. O Steve e eu estávamos vendo o seu Instagram ontem à noite, e eu mal conseguia me segurar. Seu trabalho é incrível, Noelle."

"Vocês são bondosos demais."

Ela franze o nariz para mim e diz: "Senta! Bebe champanhe com a gente. Só um pouquinho, não queremos te atrapalhar".

Nós nos sentamos no bar, dentro do grandioso e cintilante hotel Balmoral. Mal consigo acreditar que estou aqui. É muito movimentado, repleto de hóspedes e gente comendo e bebendo, conversando e rindo. Cheira a drinques doces e carne grelhada. O Balmoral é tão cheio e animado quanto a cidade ampla e barulhenta lá fora, e tenho vontade de ficar de pé, com os braços abertos e os olhos fechados. Era com isso que Daisy e eu sonhávamos — ser parte do mundo, nos perder nos movimentos e ruídos, na delícia do presente. Estou aqui. *Estou aqui*.

Steve e Candice ficam de mãos dadas na minha frente, com os dedos entrelaçados. A pessoa trabalhando no bar me passa uma taça com bolhas brilhantes.

"Bom, a Martina, a assessora, arranjou uma salinha do lado do salão em que a gente vai se casar. O ar-condicionado é ótimo, o que significa que as flores vão ficar superbem lá. O que acha?"

"*Perfeito*. Eles disseram que tinham baldes, certo?"

"Alguns, não muitos."

"Tudo bem, eu pedi mais pro fornecedor. Vou pra lá assim que terminarmos aqui. Meu carro está no estacionamento, um pouco mais na frente. Se quiser mais alguma coisa, agora é a hora de dizer. Aí já coloco na lista."

Candice sorri para mim, e os brincos de diamante dela brilham na luz amarelada do bar. "Não. Confio em você. Seu namorado vai vir também, né?" Ela acaricia e aperta o braço do noivo, por cima da camisa dele. "O namorado dela vai vir ajudar, Steve, depois que sair do plantão. Ele é *médico*. Pediatra."

"Ah, nossa. Ele vai vir direito do plantão?", comenta Steve, com a taça de champanhe parecendo um pouco ridícula na mão enorme dele. "Isso é que é amor."

"Ah, bom, ele não é exatamente meu..."

"Isso que é amor mesmo, sempre achei", diz Candice, sonhadora. "A pessoa arranjar tempo pro que é importante pra você, independente do que ela gostaria de estar fazendo."

"Ah", diz Steve. "E quanto a pegar no sono no chão do banheiro quando você tá de ressaca demais pra se mexer, depois de ficar toda 'Relaxa, Steve, são só duas piñas coladas, conheço meus limites, muito obrigada'? Isso conta como 'arranjar tempo pro que é importante pra você'?"

Candice ri e dá um tapinha no braço dele. "Conta. Porque piñas coladas são importantes pra mim."

Dou risada, brindo com eles e digo: "Agora me digam quão nervosos vocês estão, numa escala de zero a dez...".

Quando Ed chega, às sete da noite, estou sentada de pernas cruzadas no piso da sala de estoque, ouvindo música e fazendo um arranjo de mesa. Com hortênsias azuis, mosquitinho e rosas creme. Vou até ele, animada como um labrador, louca para levá-lo até o salão Holyrood, onde vai ser a festa amanhã. É enorme e grandioso, com dez mesas redondas além da mesa principal, todas à espera de decoração e flores — feitas por mim. *Olha só!*, tenho vontade de dizer. *Olha o que eu fiz acontecer! Estamos aqui! Em Edimburgo, em algum lugar do mundo, por minha causa. Não por você dessa vez, mas por causa de mim!*

Ed está pálido, todo desgrenhado e com o cabelo molhado da chuva. Ainda assim, abre um sorriso travesso para mim, do outro lado do chão perolado do saguão, e diz: "Oi, Nell". Ele me abraça e diz no meu ouvido: "Tô fodido".

"Nossa, que finesse", brinco, me afastando.

"Tá tudo bem? Dilly resolveu tudo?" Embora uma parte de mim deseje que Ed se desculpe por ter se recusado a ir ficar com a minha mãe, sei que ele não vai fazer isso. E falando sério, por que faria? Ele mesmo disse que queria estar aqui para me ajudar. É claro que isso é mais importante para ele do que minha mãe. Mas às vezes eu queria que Ed fosse mais caloroso. Menos "A é A, B é B, você deveria fazer C e ponto final" e mais "Eu entendo. A circunstância não é perfeita e nem sempre lógica, mas é você, e eu tô aqui".

"Sim. Ele tá quase chegando. O Ian ainda tá com ela."

"Ótimo", Ed diz apenas, depois volta a me abraçar. "Agora vem, me mostra o seu quarto. *Preciso de uma cama.* E de serviço de quarto. Tipo, do maior bife que eles tiverem. E de sobremesa. Queijo. *Tudo.*"

"Não posso agora. Tô no meio dos arranjos de mesa."

"Ah, não, não, por favor. Faz um intervalo comigo, Nell."

"Não posso. Se parar agora pra ficar com você, vou acabar trabalhando até tarde. Quero terminar tudo direitinho, ter certeza de que ficou perfeito..."

Ed me dá um beijo, interrompendo minhas palavras com seus lábios macios. É um beijo de verdade dessa vez.

Lento, intencional, os dentes dele mordiscando meu lábio inferior de leve quando ele se afasta. "Nossa, você tá linda", ele murmura contra minha boca. "Sério, você..."

"Olha, por que você não sobe para o quarto?", eu o corto. "Dorme um pouco e depois de algumas horas talvez você possa... Ed, pelo amor de Deus, a gente tá num lugar *público*." Ele enfia o rosto no meu pescoço, e os lábios na minha pele fazem um arrepio descer pela minha espinha. "Preciso trabalhar."

"*Tá*", ele resmunga. "Por que você não me põe pra trabalhar, então? Só me deixa tomar um café antes."

Quarenta e cinco minutos depois, Ed está no chão da sala de estoque, com uma fita nos dentes. "Acabamos aqui?"

"Não."

"Vamos subir, vai. Olha só, eu ajudei."

"Por meia hora!"

Ele volta a gemer, depois dá uma olhada no meu Spotify. "Não sei como você ainda consegue ouvir *Keane*..."

"Adoro Keane."

Ed tira o laço de fita dos dentes e segura na mão. "Mas isso é maluquice, não é?"

"O quê, as flores?"

"É que... bom, é melhor eles estarem te pagando uma nota. Pra ter que ficar sentada no chão, em uma sala fria e escura."

"A sala precisa ser fria e escura pra manter as flores frescas. Mas tá ficando bom, não tá?"

"Pra quem gosta de flores..."

Olho para ele, sentindo algo se quebrar dentro de mim. Ed sorri, se salvando no último minuto. "As flores estão lindas, você sabe disso." Ele se senta e tira o cabelo do meu rosto, com os dedos roçando minhas bochechas. "Que nem você."

"Sutil."

"Tô falando sério." Ed se inclina e me dá um beijo *muito bem ensaiado*, longo e perfeito, já enfiando a mão dentro da minha blusa. Sinto os dedos quentes passando pelo arame do sutiã. "Agora podemos subir?", ele pergunta, com a boca na minha.

"Vou só terminar isso. E mais tarde vamos voltar."

"Claro."

"É por isso que estamos aqui, lembra?"

"Ahã." Ed sorri, com os lábios ainda nos meus. "É por isso que eu tô aqui."

26

Eu sabia que isso aconteceria. Estávamos nos beijando. E muito, depois de chegar ao quarto. Ed foi tomar banho e tentou me convencer a ir junto, mas eu disse que não. Fiquei olhando para as ruas movimentadas da cidade lá embaixo, enquanto na porta ao lado a água batia nos tijolinhos de pedra e Ed cantarolava. *Você queria isso mais do que tudo*, disse uma voz na minha cabeça. *E agora tá aqui. Num lugar lindo, com o Ed. Então por que não tá feliz?* Ed voltou, com a toalha enrolada na cintura e gotas de água pontilhando a barriga tonificada. Ele avançou de novo, enquanto aguardávamos a leve batida do serviço de quarto, primeiro me beijando, depois levando uma mão à minha coxa e subindo, subindo e subindo, até que eu me afastei, deslizando para mais longe no edredom.

"Não", eu disse.

"*Por quê?*"

"Porque tô aqui pra trabalhar."

"Mas, Nell, olha só pra esse lugar", ele disse, como se um lindo quarto de hotel e uma cama *king size* fossem um desperdício se não rolasse sexo pelo menos uma vez.

"Eu sei, mas... não foi pra isso que eu vim." Então comemos na cama, com as pernas cruzadas, enquanto assistíamos a um programa sem graça de perguntas e respostas, comigo olhando o tempo todo para o relógio. Quando Ed beijou meu pescoço, eu pedi que ele parasse e me levantei.

"Achei que estávamos viajando juntos", ele disse, balançando a cabeça, e fiquei sem saber o que dizer. Só fui para o banheiro, tranquei a porta e tomei um banho. Deixei que a água batesse no rosto, como se pudesse desprender meus pensamentos e rearranjá-los de alguma maneira compreensível. Mas não funcionou. De repente, entrei em pânico, como se precisasse abrir a porta de vidro daquele cubículo e escapar. Eu me maquiei, demorando no delineador e fazendo um olho esfumado, depois prendi o cabelo em um coque bagunçado, enquanto encarava meus próprios olhos no espelho grande do banheiro, pensando o tempo todo no que estava acontecendo — ou seja, que porra eu estava fazendo. Ali, com Ed. Ele era tudo o que eu sempre quis. Eu tinha sonhado com aquilo — a volta dele, Ed percebendo que tínhamos cometido um erro, nós dois juntos pelo mundo. Então por que não queria ficar perto dele, não queria transar com ele? Por que não era como achei que seria? Como achei que deveria ser? Era diferente. Parecia errado.

Quando finalmente saí do banheiro, Ed estava desmaiado na cama. Fiquei aliviada por não ter mais que encará-lo, ou encarar meus sentimentos, e saí do quarto.

Quando deixo o elevador agora, o saguão do Balmoral está lotado de pessoas de traje a rigor. Já me sinto melhor, perdida no barulho e no agito de uma sexta à noite na cidade. Dezenas de pessoas em ternos elegantes e vestidos caros seguem lentamente para o salão de festas em frente àquele em que Candice e Steve vão se casar amanhã e deixam um cheiro de loção pós-barba e perfume no caminho, além do eco das risadas estridentes. Candice e Steve vão se reunir no bar com alguns convidados esta noite e convidaram Ed e eu para nos juntarmos a eles. Quero estar preparada, caso termine os arranjos a tempo, por isso estou maquiada e com um vestido bonito. Fora que não quero ficar andando por um lugar tão elegante assim com calça de agasalho. O Balmoral é imponente, e estou longe o bastante de casa para sentir que se trata de uma ocasião especial. Nunca tenho a oportunidade de me arrumar, mas hoje é diferente. Eu me encaixo, me pareço com as outras pessoas, como se não fosse ter dificuldade em entrar numa rodinha, dar uma risadinha e embarcar na conversa.

Do lado de fora, no estacionamento, a garoa parou e o céu de outono é um amálgama de tons pastel, como se os deuses tivessem se inspirado em um pacote de balas. Fico parada por um momento, recostada na van alugada, só olhando ao redor. Daisy. Sempre penso nela quando vejo um céu bonito, quando estou fazendo algo novo. Daisy adorava tirar fotos do céu. Adorava falar sobre todo mundo sob ele. *E não é estranho, Elle, pensar que as pessoas por quem vamos nos apaixonar estão debaixo desse mesmo céu?*, ela dizia. O que Daisy pensaria se pudesse me ver agora? Ficaria orgulhosa? O que acharia de eu estar aqui com Ed? Tudo está tão confuso, com uma centena de pontas soltas. Queria que ela estivesse aqui. Queria que as coisas fossem mais simples. Queria não ser eu. Queria não estar tão atrapalhada, queria não sentir tanto medo. De viver. Porque é isso, eu acho. Tenho medo de viver de maneira espalhafatosa demais. Não fui sempre assim, mas não sei como voltar ao normal. Eu definitivamente estava *presente* na noite em que enterramos a cápsula do tempo, no momento em que Daisy tirou aquela foto minha com o Ed. E tive certeza, no meu coração, de que o meu *para sempre* estava ali. Não apenas Ed e eu. A foto era a prova de que eu tinha uma eternidade, ou o que parecia ser uma eternidade, à minha frente. Meu futuro parecia tão brilhante. Estava ali, para eu agarrar. As estrelas no céu atrás de nós nos incentivavam a seguir em frente e a alcançar o que queríamos com as mãos.

Duas mulheres de mãos dadas passam por mim. Uma diz algo para a outra, e elas jogam a cabeça para trás e riem, com os dedos abertos no peito. Sinto um frio na barriga. Sam. Sam sempre ri comigo. Nada que eu diga o choca ou constrange, nada faz com que ele queira me corrigir. *Sam. Afe.* Meus pensamentos sempre acabam indo para Sam Attwood. E pensar que ele está em algum lugar aqui perto. Sam tem razão, Edimburgo é grande, mas gosto de saber que estamos na mesma cidade, que as nuvens fofas e avermelhadas sobre a minha cabeça flutuam sobre a dele também.

Abro a van e pego os baldes do fornecedor. Aposto que Candice sente que o mundo pertence a ela neste momento. Todo mundo correndo por ela, o novo capítulo da vida dela só esperando o sol se levantar amanhã. Acho que é por isso que eu gostaria, mais que qualquer outra coisa, de ter a câmera da Daisy. Para poder ver as minhas fotos, as fotos de quem eu costumava ser. Da Noelle que ousava esperar coisas maiores. Antes que eu quase morresse e aceitasse que deveria ser grata por tudo o que viesse. Ainda que não fosse o que eu quisesse, pelo menos eu estava viva, certo? Daisy daria qualquer coisa para ainda estar aqui, como eu. *Daisy não sabe que não tá aqui*, Ed me dizia, o que ajudava e magoava ao mesmo tempo. Daisy acreditava na vida depois da morte. Daisy acreditava que éramos mais que um monte de ossos e um coração batendo. Fecho os olhos. *Você tá aí? Me manda um sinal se estiver. Sinto sua falta. Desculpa por não fazer isso o bastante, desculpa por não falar de você, mas sinto saudade sua todos os dias e não sei o que fazer. Me sinto perdida. Me sinto sozinha.*

209

Abro os olhos, tranco a van e seguro as lágrimas quentes que estão prestes a escorrer. Volto para o hotel. Um grupo de mulheres sai gargalhando de um táxi na entrada. Penso em Candice e nas lindas flores que esperam lá dentro para serem transformadas em um arranjo a ser admirado, fotografado e recordado. Sonhei com isso por muitos e muitos anos, e agora estou aqui. *Estou mesmo aqui.* Paro na calçada. Não posso me sabotar e estragar isso. O casamento. As flores. Essa oportunidade. Agora. Agora, e não depois. É isso que importa.

Endireito o corpo, olho para o glorioso céu de outono uma última vez e entro no hotel, ciente de como devo parecer estranha carregando baldes de metal como um trabalhador braçal, mas usando um vestido de festa e totalmente maquiada. Não estou nem aí. Pois é. Esta sou eu. Noelle Butterby, florista de um casamento. *Designer de flores, aliás.*

O saguão continua lotado, como um bar antes de um show, com pessoas de pé conversando. Do outro lado das portas duplas do salão, vejo gente sentada, vinho em baldinhos de gelo no meio da mesa e a pista de dança banhada por luzes azuis.

Tem um grupo de homens de smoking preto perto da porta conversando com vozes grossas. Uma música baixa chega de dentro do salão. Tem um cavalete de fundo branco ao lado da entrada anunciando: ESCALANDO POR UMA CAUSA. Meus pés param no chão brilhante, com um balde de cada lado.

Escalando por uma causa.

Escalando por uma causa.

Ai, meu Deus.

E...

Ali está ele. *Sam.* Claro que sim. No grupo de homens altos usando smoking preto. Antes que eu possa registrar isso direito, nossos olhos se encontram e ficam fixos um no outro. Tenho vontade de chorar ao vê-lo. *Você tá aqui, você tá aqui, você tá aqui*, é assim que bate meu coraçãozinho aliviado. A expressão dele congela, com a boca perfeita e rosada entreaberta no meio da conversa, como se fosse uma foto. Em perfeita sincronia, nós sorrimos. *Que porra é essa?*, ele articula apenas com os lábios. *Eu sei!*, faço o mesmo de volta.

Claro. *Claro* que Sam está aqui. E, por mais ridícula que seja a presença dele neste hotel, não chega a ser uma surpresa. Aqui estamos nós, nossos caminhos se cruzando de novo, e, sinceramente, por que outro motivo poderia ser além do fato de que esse é o nosso destino? Certo?

Os homens de smoking preto assentem quando Sam deixa o grupo. Ele se aproxima, com as sobrancelhas pretas franzidas e um sorriso torto e embasbacado no rosto bonito. Meu coração martela no peito. Parece que meu corpo foi mergulhado lentamente na água fria. Minha pele toda formiga. Ele está maravilhoso. Simplesmente maravilhoso.

"O casamento", Sam diz, apontando para nós dois. Eu me levanto, deixando os baldes de lado, e olho para ele.

"O evento beneficente. Você não disse que era numa casa noturna?"

"Mudaram. O lugar inundou, então viemos pra cá. Foi uma confusão com as vans, vou te dizer... Você... você tem baldes."

"Tenho baldes."

Ele sorri, achando graça. "Noelle, você..." Os olhos escuros passam pelo meu vestido, depois voltam ao meu rosto. Vejo o pomo de adão se mexer. "Você tá... linda."

Engulo em seco, porque sinto que tem algo crescendo dentro de mim e bloqueando as vias áreas. Mal aguento olhar para ele. Sam é o sol. É a porra do sol. "E você... você fica muito bem... de smoking."

Sam sorri para mim. Vê-lo assim, num lugar diferente, a quilômetros de distância de tudo, da casa do pai e de lavanderias abafadas, num hotel cheio de brilho, à luz de lustres antigos, cercado por burburinho, vida e glamour, com ele de smoking... parece demais. Como um vislumbre do que poderia ter sido, em outra vida, em outro mundo. Eu de vestido, ele de smoking, nós dois juntos. Acho que ele sente o mesmo, porque por um momento ficamos ambos só olhando um para o outro, sem palavras. Então Sam dá um passo à frente e, devagar e com vontade, me abraça *pela primeira vez*. Nunca estive assim perto dele, devida e demoradamente, sentindo seu corpo quente e forte contra o meu, com as mãos dele nas minhas costas nuas. Sam me abraça. Ele *realmente* me abraça, não como fez ao me consolar quando eu estava com a blusa do pijama no hospital. Ele me abraça *de verdade*. Num encaixe perfeito. Nem sei se estou respirando, se estou mesmo aqui, mas não quero soltá-lo nunca.

"Ei, ei, ei, Attwood, o que tá rolando aqui?"

Nós nos separamos quando uma mão grande dá dois tapinhas no ombro de Sam. Ele abre um sorriso. "Clay, esta é a Noelle."

Clay, parado ao lado de Sam, é o surfista dos sonhos, com cabelo loiro volumoso e pele bronzeada. Daisy teria ficado louca por ele. A Charlie pré-Theo teria cavalgado com ele rumo ao pôr do sol e voltado (e então partido o coraçãozinho obcecado por ondas dele). "Puta merda", diz Clay. "Noelle da estrada bloqueada?"

É a primeira vez que vejo as bochechas de Sam ficarem vermelhas. Ele confirma com a cabeça. "É. A própria. Este é meu amigo Clay..."

Antes que ele consiga terminar de falar, Clay fecha os olhos, abre os braços compridos e diz: "Pode vir, Noelle da estrada bloqueada. Vem com tudo. Você é uma lenda viva. Sabe disso?".

Quando eu rio e abraço a cintura fina de Clay, ele diz entre dentes, no meu ouvido: "Pra ser sincero, achei que talvez você fosse uma miragem criada pela cabeça dele. Isso às vezes acontece quando as pessoas estão passando por um momento difícil. Elas inventam coisas".

"O que foi que você disse?", Sam pergunta.

"Nada, cara", garante Clay, com uma piscadinha. "Nada."

27

A música grave e baixa do evento beneficente chega através das paredes na minha salinha, e eu penso em Sam. É tudo o que posso fazer. Fico admirada de não ter escrito o nome dele inconscientemente com as flores. Não consigo parar de pensar no que ele está fazendo no salão cheio de luzes. Rindo, bebendo... flertando. Sam está tão bonito que não seria inesperado se uma rodinha de belas filantropas e alpinistas com pernas fortes e libido insaciável tivesse se formado em volta dele. E Clay... Ah, meu Deus, *Clay*. Sam fala de mim para ele. Tanto que ele não precisou nem de um segundo para lembrar quem eu era. Soube instantaneamente. E disse que achava que eu era uma miragem. Para ajudá-lo a passar *por um momento difícil*. É claro que fico me perguntando o que seria exatamente esse tal momento. Talvez a questão com Jenna. A mudança do pai rabugento. Independente disso, Sam fala sobre mim. Como eu falo sobre ele.

Conversamos mais um pouco no saguão, e Sam me convidou para entrar com ele. Eu queria muito aceitar, mas disse que não podia, que precisava trabalhar nas flores. Então ele foi engolido pelas conversas dos outros, e eu me despedi com um aceno fraco. Quando olhei por cima do ombro, Sam me dirigiu a mais leve e rápida piscadinha à distância, e comecei a passar mal. *Literalmente.* Como se nunca mais fosse conseguir comer — nem mesmo o macarrão com queijo vegano que Theo faz e no qual sou viciada. *O tipo de amor que te deixa sem fome e com vontade de vomitar.* Era disso que Daisy estava falando? Amor. Nossa, não consigo nem acreditar que estou pensando nisso. *Ed* está lá em cima. Ele veio me ajudar. Por outro lado... cadê ele? Estou sozinha numa sala mal iluminada, com flores por toda parte, música tocando baixo e as costas doloridas. Apenas eu.

Uma música da Joni Mitchell começa a tocar no meu celular, mas também ouço a batida mais forte e rápida da música do evento. Me pergunto se Sam está desconfortável num canto ou se está dançando e rindo com Clay. Aumento o volume da Joni Mitchell. Me pergunto como seria dançar uma música lenta com ele. Enlaçar seu pescoço e me balançar bem pertinho dele, ao som de algo como "A Case of You", sentindo os braços firmes e fortes dele na minha cintura. *Afe.* Por favor, Noelle Butterby. Você está cansada. Ainda tem a decoração de duas mesas para fazer, depois pode ir para a cama. Dormir para esquecer. Teve um longo dia, está emotiva e confusa, mas quem não estaria? Quer dar um impulso na sua carreira, correr atrás dos seus sonhos, enquanto Ed dorme na cama lá em cima e, na porta ao lado, Sam dança coladinho a alguma megera oportunista, mas na verdade você só queria estar no lugar dela, com o corpo grudado no dele e...

"Cala a boca", digo em voz alta e gemo com as mãos cobrindo o rosto. "Cala a boca, cala a boca, cérebro! Não posso lidar com isso agora, tenho um monte de coisa pra fazer e..."

Toque-toque-toque.

Merda. Congelo.

"Oi? E-Ed?"

A porta se abre, e a luz quente invade a minha salinha sombria. O rosto bonito de Sam surge. "Oi. Precisa de ajuda?"

"Nossa, sim", digo casualmente, mas já me derretendo toda. "Preciso muito. Mas não posso te segurar, deve ter um monte de coisa rolando na festa..."

"Não, não. O leilão já foi." Sam entra e fecha a porta. A luz volta a diminuir. Somos só nós dois, Joni Mitchell, as flores e uma luminária de mesa pequena e cromada. "Agora só tem gente dançando e se embebedando, e Clay tentando convencer pessoas aleatórias a dormir com ele."

Dou risada enquanto Sam tira o paletó do smoking e o estende sobre o braço dobrado.

"Tá funcionando?"

"Ah, sempre funciona." Sam se senta ao meu lado no chão, estendendo as pernas compridas à sua frente. "Uma hora ou outra. Quando ele encontra um par a fim."

"*Eita*."

"Né?" Sam ri, e aquela covinha deliciosa aparece. "Bom, vamos lá. O que eu faço?"

Sorrio e passo três rosas cor de sorvete de baunilha para ele. "Segura aqui."

"Sim, senhora."

Começo a enfiar flores em uma base de espuma para o arranjo de mesa — do tipo clássico, como Candice pediu. Hortênsias azul-claras, rosas cor de creme, margaridas brancas e mosquitinho. Sam segura as flores e me observa trabalhar. Sinto os olhos dele em mim na escuridão silenciosa, a não ser pela música tranquila, e percebo que tenho que me concentrar para respirar. Inspira, expira. *Inspira, expira.*

"Cadê o Ed, o pediatra?"

Não olho para Sam. Continuo trabalhando nas flores.

"No quarto, dormindo."

"Ah."

"E a Jenna?", retruco, antes de me dar conta do que estou perguntando.

"Hum." Ele pigarreia. "Nos Estados Unidos."

"Ela nunca vem", digo, depois culpo a taça de champanhe que tomei no bar, com Candice e Steve, mas já faz horas, e não acho que um refrigerante e um hambúrguer possam deixar alguém corajoso. Mas talvez seja o fato de estar aqui. Talvez seja esta noite.

"É, eu sei." Sam abre o colarinho branco e engomado, se inclina um pouco para trás e se apoia nas mãos. "Então... Jenna dormiu com outra pessoa", ele diz, direto. "No ano passado."

Sinto uma pontada quente no peito. "Quê?"

"Durou seis meses. Ou é o que ela diz. Mas você sabe... Nunca tô em casa e não posso dizer que fui um *ótimo* namorado nos últimos... bom, sei lá quantos anos."

"Mas... ainda assim..."

"É, eu sei." Sam assente, pressionando os lábios. Percebo que não fiz nada além de tentar posicionar uma única margarida nos últimos dois minutos. Como quando a gente se distrai e acaba lendo a mesma linha de um livro várias vezes. "Bom, decidimos tentar. Arranjar tempo pra gente. Agendamos ligações diárias, chamadas de vídeo toda semana, eu volto tanto quanto possível e a Jenna tá vendo o lance do visto, porque nós queríamos recomeçar num lugar diferente. Ou pelo menos achei que eu quisesse."

"E não quer?"

Eu congelo, com um montinho de flores no colo, e parece que o tempo congela também.

"Não", ele diz, baixo. "Não sei. Nos falamos por Skype e

por telefone, até *escrevemos* um pro outro. Quando eu volto, saímos juntos, fazemos tudo direitinho... mas não sei."

Assinto. Não posso dizer nada. Porque sinto que a guarda sempre alta dele baixou um pouco. E eu entendo. É como eu e Ed. É assim que me sinto em relação a Ed.

"Tô começando a perceber que uma coisa que funcionou por muito tempo às vezes pode não funcionar mais", digo, e fico triste ao ouvir minhas próprias palavras. "Não tem explicação. Simplesmente... para de funcionar."

Sam sorri para mim, triste também, então abaixa a cabeça em um aceno. "Vamos nos encontrar no nosso aniversário de namoro. Daqui a três semanas. Pra conversar sobre o que fazer. Na terapia." Ele faz uma careta ao dizer isso, como se por pouco não tivesse presenciado um acidente. "Vinte de outubro. Ou vai ou racha."

"Como o Steve e a Miranda. Em *Sex and the City*. Eles marcam de se encontrar na ponte do Brooklyn se quiserem ficar juntos."

Sam dá uma risadinha, mas não sei se ele reconhece a referência.

"O que a Jenna acha disso tudo?", pergunto, embora me sinta dividida. Estou sendo amiga dele? Quero ser amiga dele, mesmo que só consiga pensar em beijá-lo e enlaçar esse pescoço?

Sam enche as bochechas de ar, depois exala demoradamente. "Ela diz que eu fujo. Que nunca estou presente, que sempre me esquivo. Ela tá acostumada com a minha ausência. A trabalho. Sempre foi assim. Mas agora, de repente, quer diminuir o ritmo, mudar as coisas e... acho que não quero isso."

Ficamos em silêncio, e eu hesito no limite entre a amizade e algo mais. "Você acha que foge?"

"Talvez", ele diz, parecendo se sentir culpado. "Não saber o que vai acontecer, quando tudo vai acabar... Acho reconfortante simplesmente seguir em frente. Ficar imóvel... não sei, Gallagher. Talvez eu tenha medo. De parar."

"Por quê?"

Sam olha para mim. Daria para ouvir um alfinete caindo. "Quando meu primo tirou a própria vida... tudo mudou pra mim. Eu tinha dezoito anos, que nem ele, e... Cara, meu primo era engraçado, profundo, inteligente, independente, sabe? Num minuto ele estava aqui e no outro não. Minha vida mudou instantaneamente. No tempo que o Bradley levou pra..." Ele para de falar, como se fosse doloroso demais, e engole em seco. "Poderia ter sido eu. É difícil descrever o que um lance desses faz com a gente."

Assinto, devagar, com lágrimas brotando. "Perdi uma amiga. Mais ou menos nessa idade. Ela..." Respiro bem fundo. "Morreu. E senti que deveria ter sido..." *Eu*, meu cérebro sussurra, mas não termino a frase, em vez disso começo a mexer nas flores sobre as pernas.

"A amiga da sacada?", Sam pergunta. Eu confirmo com a cabeça e sorrio, feliz que ele se lembre. Sam sempre se lembra tanto das pequenas coisas quanto das grandes.

Acho que ele vai continuar falando, mas não, Sam só assente. No mesmo momento, como se as palavras dele tivessem feito a névoa se dissipar, sei que somos iguais. Porque passei a vida toda com medo de começar a viver. Com medo de viver de maneira muito chamativa. Achava que devia me contentar com o que tinha, mesmo que não fosse o que queria, porque eu não deveria estar aqui. E Sam. Sam tem medo demais de *não* viver, porque acredita que é uma questão de tempo até que a vida seja tirada dele. Temos medo de coisas que parecem opostas, mas que no fundo são uma só.

Engulo o nó na minha garganta. "Você disse que nunca tá presente", comento na escuridão. "Mas tá presente pro seu pai. Você tá aqui agora. Não é?"

"É", ele diz, pensativo. "E sempre pareço estar presente quando se trata de você."

De repente, parece demais. Ed não estar aqui. Sam estar. Sam estar sempre aqui. E essa sensação dentro de mim. De que tem algo entre nós, efervescente, elétrico, desde a noite da estrada. Olho para ele, e meus ombros caem. Eu desisto, universo. Eu desisto.

"Onde você estudou?", pergunto.

Sam solta uma risada baixa e rouca e balança a cabeça. Nossos rostos estão tão próximos que mal consigo respirar. "Você sabe onde estudei."

"Mas não quer saber?" Falo tão baixo que as palavras mal saem. "Não quer saber por que isso continua acontecendo?"

Sam me encara. Está tão perto que sinto a respiração dele no meu rosto. "Por que você precisa saber?" Ele pega uma margarida branca do chão, leva a mão lentamente ao meu rosto e a põe no meu cabelo. Então passa um dedo pela minha bochecha e diz: "Só fico feliz por isso".

Mais perto. Quero que ele chegue *ainda mais perto*. "Você não pode ainda achar que isso é aleatório."

"Não sei", Sam sussurra, enquanto Joni Mitchell continua tocando ao fundo. O ar que ele solta chega aos meus lábios.

"Você era meu amigo por correspondência."

Um sorriso se abre no rosto de Sam, a centímetros do meu, e ele recua um pouco. A gente ia se beijar? Se eu não tivesse dito nada, ele teria me beijado?

"*Como?*", ele ri.

"Era pra eu ter um amigo por correspondência em novembro de 1996. Você disse que quebrou a perna em 1996.

Tiveram que trocar a pessoa pra quem eu ia escrever. Lembra? Eu falei do garoto em Portland."

Ele ri alto. "Puta merda. Talvez fosse eu mesmo. Quer dizer, não me lembro dessa história, mas..."

"Era você. Eu sei que era."

Sam se inclina e ajeita com cuidado a margarida no meu cabelo.

"Quero que você saiba de uma coisa", ele sussurra, e as palavras mal saem. O nariz dele está a centímetros do meu. "Você disse que ninguém te vê, mas eu vejo, Noelle. É sério."

Fecho os olhos. Eles se enchem como piscinas de água quente, seguros atrás das pálpebras, não sei por quê. Imagino que porque Sam disse que me vê. Porque eu sempre soube, de alguma forma, que ele me vê.

"Gosto do som", sussurro. "Quando você me chama de Noelle."

Sam sorri no escuro. "*Noelle*", ele sussurra quase encostando seus lábios nos meus.

Um tremor vai descendo pelo meu corpo, como se ele fosse de gelatina — pela espinha, pelo estômago, então pela virilha, pelos joelhos, até os dedos dos pés. "Fala de novo."

"Noelle", Sam repete e então se aproxima. Fecho os olhos, mas ainda o sinto, quente, forte e firme contra mim. Ele pressiona os lábios contra os meus — lábios quentes e macios, com gosto de uísque e chiclete. Conforme se mexe e aprofunda o beijo, eu sinto a barba por fazer roçar no meu rosto e juro que meu corpo todo parece ganhar vida, não sou nada além de estrelas.

28

"A mulher precisa de um hobby, Nell. Ela tá me deixando louco com essa história. Sabia que me ligou sete vezes em duas horas pra falar dos canapés? Encomendou em algum lugar perto de casa, e a minha vontade é dizer: por que não convida uns amigos do papai, enfia todos num *lounge* com piano e deixa os caras se embebedarem? Nell? *Nell?*"

Pisco e olho para Ed, que está animado e descansado do meu lado, com as bochechas rosadas. Como alguém que passou a noite em um hotel cinco estrelas com cama *king size* — o exato oposto de como me sinto esta manhã.

"Desculpa. Eu tava viajando."

"Para de se preocupar. São flores, lembra? Só flores." Ed sorri, gentil. "Você conseguiu, Nell. E se saiu ainda melhor sem a minha ajuda." Ed boceja e bagunça o cabelo castanho. Um pedaço da barriga tonificada aparece logo abaixo da camiseta azul-marinho. "Minha nossa, quanto tempo eles vão demorar pra acomodar todo mundo? Quero comer logo. Tô morrendo de fome."

A fila do café da manhã do Balmoral é longa. O salão é um caos de conversas, e algumas pessoas se apertam nas mesas enquanto o restante espera aqui, na entrada grandiosa e iluminada, mais uma multidão dispersa do que uma fila em si. Fico aliviada quando Ed começa a mexer no celular, porque mal consigo formar frases. Não consigo parar de pensar em ontem à noite. Em Sam, no beijo maravilhoso e em como durou pelo que pareceu uma eternidade, mas provavelmente foram uns dez segundos, até que o celular dele vibrou. Era Clay, que não conseguia encontrar o próprio quarto no hotel. Nos despedimos na penumbra, e Sam perguntou se eu precisaria de ajuda pela manhã, porque ele tinha marcado de tomar café supercedo e queria sumir logo. *Sim*, eu queria dizer. *Sim, venha e não vá mais embora.* Eu queria que ele me beijasse de novo, queria espremer todo o tempo do mundo para passar apenas com Sam. Mas disse que não. Por causa do Ed. Da Jenna. Porque ele foge. Porque, sinceramente, estou morrendo de medo de tudo o que sinto. Parece que tem um furacão dentro de mim, ganhando velocidade, reunindo mais e mais informação, confusão e emoção, até levantar voo e me levar junto.

As pessoas na nossa frente estão sentadas, e uma garçonete sorri para nós da recepção, mas não diz nada, só mexe no iPad. O restaurante está lotado. Dá para ouvir frigideiras chiando e talheres batendo nos pratos. O cheiro de torrada faz meu estômago roncar. Não comi nada. Não dormi nada. As mãos estão trêmulas. Eu disse a Ed que estava nervosa por causa do casamento e das flores. Mas não é só isso. É Sam. É o beijo. Ed, as flores, o hotel, a confusão e a velocidade de tudo. Todos os motivos inflam no meu cérebro, como uma esponja saturada. Levo a mão à testa. Ed olha para mim, mas não diz nada.

"Bom dia." A garçonete sorri. "Número do quarto, por favor?"

"Bom dia", digo. "É o 231. Butterby. Noelle Butterby."

Ela corre o dedo fino pela tela luminosa do iPad. "Ah,

sim." Olha por cima do ombro e avalia o restaurante cheio. "Tivemos algumas reservas duplicadas", ela comenta, quase que para si mesma, e Ed suspira.

"Quem é que faz *algumas* reservas duplicadas?", ele me pergunta, alto o bastante para a mulher ouvir.

Ela olha para Ed e dá um sorrisinho tenso. "Recebemos vinte convidados de última hora e um evento beneficente com noventa e seis pessoas ontem, por causa de uma inundação em outro estabelecimento. Por isso estamos apertados. Mas não se preocupem, vocês vão ter uma mesa. Talvez só tenham que esperar até que..."

Ah, meu Deus.

Ah. Meu. Deus. Ondas invadem meu cérebro, afogando a garçonete, Ed e a conversa no restaurante. Sei que ainda estão todos falando, porque os lábios se movem, mas na minha cabeça só tem estática. É como se alguém tivesse puxado o plugue da tomada.

Sam. Ele está um pouco adiante com Clay. Estão só os dois numa mesa para quatro, com xícaras, pratos e jornais estendidos no tampo de madeira. Há duas cadeiras vazias ao lado deles. Sam levanta os olhos e me vê. Merda, ele me viu. Meu estômago se revira tanto que parece um peixe fora d'água. Vou vomitar. Antes que um de nós possa reagir, Clay me vê também.

"Oi!", ele grita, mais à frente no restaurante. "Ei, é a miragem! Vem cá!"

Ed olha para mim, meio confuso, meio surpreso. "Você... conhece esse cara?"

"É... não... conheço o outro. Sam. O americano. Bom. Esse é amigo dele. Você sabe. Sam. Pra quem eu faço faxina. O do, hã, pai. F-Frank. Eu limpo." Ah, meu Deus. Nem consigo falar. É como se minha língua fosse a porra de um molusco gigante e meu cérebro não passasse de um monte de rosbife.

A garçonete olha para mim, esperançosa. "Querem se sentar com eles?"

"Hum, não acho que..."

"Bom, se for nossa única chance de comer alguma coisa..." Ed olha para mim e dá de ombros. "Topo sentar em qualquer lugar, pra ser sincero."

A mulher me olha com expectativa. Olho para Sam, que abre um sorrisinho reconfortante. Um sorriso que diz: *Tudo bem. Vai ser tranquilo.*

"Tá", endireito o corpo, como alguém que não tem absolutamente nenhum problema com aquilo. "Tudo bem. Faz sentido."

Clay e Sam se levantam quando nos aproximamos da mesa. Ai, meu Deus, por que ele tem que ser tão alto, e por que essa carinha dele, de quem não dormiu e está morto de cansaço, e esse cabelo de quem acabou de sair da cama me fazem querer enterrar o rosto no pescoço dele? Minha fome desaparece por completo, simples assim. *O tipo de amor que te deixa sem fome e com vontade de vomitar...* Não, não, para com isso. Agora, não.

"Estão vendo? Ficamos todos perfeitamente confortáveis", diz Clay, com os lábios pálidos e as olheiras de quem está de ressaca, ou ainda bêbado. "E aí, Noelle? Esse é o seu...?" Ele olha para Sam por um momento, depois para mim. "O seu...?"

"É o Ed", eu digo.

"Vim com ela. Sou o ajudante. O *escravo* dela." Ed sorri e estende a mão.

"Ah, eu devia saber que uma rainha dessas teria um escravo. Ou muitos." Clay pisca o olho azul e provocador para mim, e os dois trocam um aperto de mãos. Sinto o olhar de Sam em mim, mas não ouso me virar para os olhos dele, ou para esses lábios que beijei ontem à noite...

"Bom dia", diz Sam. Ed oferece a mão, sempre tranquilo e confiante. "Sou o Sam."

Ed aperta a mão dele, então franze a testa. "Sam", ele repete. "Ah, você... merda, você... não pode ser. Eu te conheço."

Sam não reage, só olha para Ed, e acho que nunca o vi com uma expressão tão dura quanto agora. O maxilar cerrado, os ombros abertos. Do que Ed está falando? Como eles se conhecem? "É mesmo?"

Ed ri, mas as bochechas coram. "É, eu... seu pai. Você levou seu pai na reumatologia. Faz algumas semanas. Tivemos... uma conversinha."

Sam assente, mas continua rígido e com o corpo bem ereto. Ele é alto, é claro, mas assim parece simplesmente *enorme*. "Verdade. Eu lembro."

"Você é o médico do Frank?", pergunto.

"Não", Sam responde antes de Ed. Ed pigarreia, cobrindo a boca com uma mão fechada.

"Não, quem tá cuidando dele é a Pragya, não é? A dra. Laghari, digo."

Sam confirma com a cabeça.

"Eu a substituí numa cirurgia", Ed explica para mim, depois volta a se virar para Sam. "E como seu pai tá?"

"Frank? Ah, ele tá bem." Sam sorri, tenso.

Clay ri e diz: "Puta merda, então você é médico?". Ele dá um gole no café expresso. "Deixa eu vir mais pra cá, pra cabermos todos."

"Na verdade, meio que já acabamos, né?", Sam diz ao amigo.

Clay faz uma pausa, com os olhos fixos em Sam. "Hum."

Ele olha para a xícara vazia nas mãos. "É? Se você quiser, acho que..."

"Vocês não precisam ir...", começo a dizer, embora não esteja sendo sincera. Fico aliviada por não ter que continuar sentada aqui com os dois. Minha cabeça parece prestes a explodir no meio do restaurante, como uma abóbora. Ed e Sam já *se conhecem*. Eles já *tiveram uma conversinha*. Sam acha Ed um babaca. Não sou especialista em linguagem corporal, mas isso ficou óbvio.

"Não, não", diz Sam. "Já ocupamos bastante espaço por muito tempo, e o restaurante tá lotado, então..."

Ed assente e estende a mão de novo. "Foi bom te rever", ele ri. "Que mundo pequeno, né?"

Sam concorda com a cabeça, depois olha para mim. "Boa sorte hoje, Noelle." Antes que eu consiga registrar o que acabou de acontecer e processar o olhar gelado que Sam dirige a Ed, ele e Clay foram embora.

Eu tentei. Tentei muito ficar sentada com Ed no salão barulhento e opressor do Balmoral, mas, por fim, não consegui. Me levantei de repente, como alguém tendo uma reação adversa a um remédio, e minha cadeira deslizou repentinamente no piso duro e brilhante. "Desculpa", eu disse, o que fez Ed tirar os olhos do jornal. "Preciso ver uma coisa. Com a Martina. Não consigo ficar aqui parada." Por sorte, ele acreditou. Não pareceu notar a afobação, o fato de que eu estava da cor do chão branco de mármore ou a torrada ignorada no meu prato, como se fosse um azulejo de banheiro, e não comida. Ed só respondeu que ia subir para o quarto e arrumar as malas para depois pegarmos o trem. Corri para fora, como se o hotel estivesse inundado e só lá eu pudesse respirar.

Agora estou de pé, apoiada nas paredes frias e adornadas do prédio. Preciso refletir, mas não consigo me ater a meus pensamentos por tempo o bastante para compreendê-los, e sinto os batimentos cardíacos mais fortes — como um trem de carga avançando tão rápido que não passa de um borrão no horizonte. Me concentro na vitrine quadrada da loja em frente e *inspiro, seguro, expiro, inspiro, seguro, expiro.* Por que isso? A dificuldade de respirar, o coração acelerado. É como se eu estivesse parada enquanto o mundo ao meu redor seguisse em velocidade máxima. E vem o pânico. Pânico como eu costumava ter quando me perdi. Da última vez, uma enfermeira bondosa sugeriu que eu não estava me ouvindo, não estava digerindo algum sentimento, não estava encarando aquilo. Mas o que seria? O que estou sentindo?

Me sinto confusa. Sinto que é demais para mim. Sinto vontade de me afastar de Ed, porque algo me incomoda quando estamos juntos, e não sei o que é. E ainda tem Sam. Quero ao mesmo tempo correr na direção dele e para longe dele. E as perguntas... Elas inundam meu cérebro, se espremendo em cada rachadura. Se eu tivesse ido para o Oregon com Ed, teria encontrado Sam? Se não tivesse ido ao evento da cápsula do tempo, teria aceitado trabalhar na casa de Frank? Teria conhecido Sam só então? Ou teríamos conversado na sala de espera do hospital? Teríamos conversado em algum momento? Ímãs. No mesmo plano. Era para ser assim? *Eu poderia mencionar sua alma gêmea,* ouço a voz da Daisy na minha cabeça, *mas não quero que você revire tanto os olhos que eles nunca mais voltem ao normal, porque aí você nem vai conseguir ver o cara. Aliás, ele vai ser muito gato. E charmoso. E tão alto que você vai ficar com dor no pescoço.*

Meu celular vibra no bolso, e a respiração volta a ficar pouco a pouco mais profunda. É um alerta. São dez para as dez.

Preciso voltar e dar o toque final nas flores, depois posicioná-las nas mesas e nas pontas dos bancos e entregar os buquês. Foi para isso que vim para cá. Candice e Steve. Todo o resto vai ter que esperar até a longa viagem de trem para casa. Não posso ter um minicolapso mental agora. Não aqui. Não hoje.

Volto a entrar no hotel, e meus pés fazem barulho contra o piso polido. Então paro. Porque Ed e Sam estão na frente dos elevadores. Conversando. Bom, quem tagarela, sério e depressa, é Ed. A mandíbula de Sam está cerrada de novo, e ele assente uma única vez. Ed está inclinado na direção dele, como se explicasse algo complicado, com muitos gestos e olhares compenetrados. Conheço todas as expressões dele. Bom, a maioria. Sei quando está triste e quando está zangado, e no momento Ed me parece... estressado. Irritado. Os dois estão discutindo? Por que estariam discutindo? Será que Sam disse que me beijou? Não. Com certeza não. Por que faria isso? A vida não é um romance do Nicholas Sparks.

"Hum... oi", digo, e embora o saguão esteja barulhento e movimentado, em meio a vozes, música e telefones tocando, ambos me olham. O rosto de Ed se abre em um sorriso grande demais para ser sincero. No rosto de Sam, por outro lado, só vejo a sombra de um sorriso.

"Oi", Ed diz. "Estávamos conversando um pouco. Falando de escalada. E do monte Hood."

Olho para Sam, que concorda. "É", ele diz apenas.

"Bom, vou arrumar as malas", diz Ed, com outro sorrisão e uma expressão estranha nos olhos. Quando estávamos juntos, o que essa cara significava? Talvez um segredo. Algo que ele não está me contando. "A gente se encontra na sua sala de trabalho?" Ed olha para nós, Sam e eu, depois entra no elevador e nos deixa sozinhos no saguão, separados pelo piso brilhante.

"Do que vocês estavam falando?", pergunto. Nem eu e nem Sam nos movemos.

Ele enfia as mãos nos bolsos, com os ombros rígidos, mas o rosto duro como pedra relaxa. "De escalada. Do meu pai. Essas coisas."

"Essas *coisas*?"

Sam confirma com a cabeça, depois a expressão dele se alivia. "Você tá bem?"

Dou de ombros e sinto as emoções borbulhando dentro de mim. "Estou. Não. Não sei. Mais ou menos. Isso vale?"

"Vale", diz Sam, triste, mas dessa vez não sorri ou acrescenta qualquer outra coisa.

"Então vocês dois se conhecem."

"Bom, não sei se a gente se conhece, é mais..."

"Você acha que eu estava destinada a te conhecer, Sam?" As palavras simplesmente saem da minha boca. "Quanto mais penso em tudo, quanto mais tô presente, quanto mais tempo passo com você..."

"Noelle..."

"Não vem me dizer que é tudo acaso. Você sabe que não é. Acho que a gente..." Percebo que estou falando alto demais, então dou um passo para mais perto dele, baixo o volume da minha voz e controlo as palavras, para que sejam só nossas. "Acho que a gente estava destinado a se conhecer. Se Ed e eu não tivéssemos terminado, se eu tivesse me mudado para Portland..."

"*Se*." Sam inspira. "Noelle, por um longo tempo, eu fiquei maluco pensando nos *ses*. Não acredito mais em *ses*, em sinais ou..."

"Por quê? Por que não admite logo?" Ele não diz nada, mas minha boca continua se movendo, claro. "Como você não enxerga que é coisa do destino, ou pelo menos poderia ser..."

230

"Porque não posso."

"Por quê? Eu sinto... *alguma coisa*..."

"Noelle!" Uma vozinha estridente e animada como um cachorrinho me interrompe. É Candice me chamando do outro lado do saguão, perto das portas duplas atrás de mim, com um croissant dourado num pratinho branco, cheia de bobes no cabelo e vestindo roupão. "Mãe! Mãe!", ela diz, se virando. "Essa é a Noelle. A florista!"

Sam abre um sorriso suave. "Vai lá com o seu pessoal." Então se inclina e pressiona os lábios quentes na minha testa. "A gente se vê."

E agora eu sei que é verdade. Independente de qualquer coisa, de todos os *ses* no mundo, sei que a gente vai se ver.

Quando entro no quarto, Ed está no telefone. Ele desliga depressa.

"Era, hã... minha mãe", ele diz, revirando os olhos. "Só ficou falando do aniversário do meu pai. Comentei que não me deixaram levar ninguém?"

"Ed, Candice me pediu pra ficar", digo no silêncio do quarto. A TV na parede está quase no mudo, de modo que mal se ouvem os comentaristas enquanto um jogador rola pelo campo, com a mão na perna. "Pra cerimônia e pra festa."

A testa dele se franze e os cantos dos lábios se viram para baixo, como se ele tentasse fazer um cálculo impossível. "Mas nosso trem sai em duas horas."

"Vou pegar o trem noturno."

Ed faz uma careta, como se tivesse pisado em algo nojento. "Nell, trens noturnos são perigosos..."

"Quero pegar o trem noturno. Tô recebendo pelo meu trabalho e posso pagar a passagem. Quero ficar."

Ed põe o celular nas pernas e respira audivelmente. "Tá. Claro, Nell. Fica." O modo como ele olha para mim me deixa com vontade de chorar. Vejo Ed. Vejo o garoto por quem me apaixonei, o homem com quem procurei apartamento, a pessoa que amei com todas as partes do meu ser por tanto tempo. "Você tá bem, Nell?", ele pergunta, fraco.

"Não sei." As palavras raspam na garganta. "Talvez... talvez a sua vinda tenha sido um pouco precipitada."

Ele olha para as próprias pernas e passa a mão pelo rosto. "Sei. Tá. Bom, então eu vou... pegar o trem."

Assinto, rígida.

"Então tá", ele diz, derrotado. "Certo."

Me sinto entorpecida enquanto me afasto de Ed e volto pelo corredor, pego o elevador, cruzo o saguão e avanço pelas fileiras de cadeiras brancas idênticas. Já está tudo preparado e alinhado, à espera de convidados e momentos especiais. Minhas flores serão o pano de fundo de eternas lembranças.

Abro a porta da minha sala, acendo a luz e quase perco o fôlego ao ver tudo o que eu fiz. O chão está todo colorido, um mar de pétalas creme-perolado e azul-claras, como iogurte com calda de *blueberry*. As flores, as *minhas* flores, aguardam pacientemente nos baldes prateados, prontinhas. Ficaram do jeito que eu tinha imaginado em todas as vezes que sonhei acordada. Eu consegui. Consegui, de verdade.

Deixo a porta aberta e posiciono flores na ponta interior de cada banco, rápida e meticulosamente. Levo os arranjos de mesa para o salão Holyrood e me sinto radiante quando os ponho no lugar e Martina, a assessora, parece boquiaberta ao tirar fotos. *É isso que eu quero*, penso quando entrego os buquês para a Candice e as madrinhas e vejo os olhos delas se iluminando e os lindos maços de hortênsias sendo segurados na altura da barriga. Quero isso. Uma vida colorida. Sam está certo. Tudo pode acabar num segundo. Não quero mais esperar.

Volto para minha sala escura e vazia mais tarde. Atrás da porta, encontro um bilhete num *post-it*. *Tô orgulhoso de você. Com amor, Sam.*

29

"É claro que você estava destinada a conhecer o cara nos Estados Unidos." Charlie olha para o teto. "Jesus Cristinho, a gente vem dizendo isso há um século. A estrada bloqueada, a sala de espera do hospital... nada disso é coincidência, amiga."

"Mas o que isso tudo quer dizer? Theo? Sério, que zona. Tô superconfusa."

"Quer dizer que você sempre esteve ligada a ele." Theo fala isso no mesmo tom com que me diria *preciso comprar pão*. "Desde o nascimento, provavelmente. Vocês devem ter quase se encontrado em outros momentos. É mais que o hospital e o apartamento do pai dele. Mais que a estrada bloqueada."

"Total", diz Charlie, embalando o corpinho de Petal, remelenta e babada, contra o quadril. "Não acha, filha? A tia Noelle tá destinada a ficar com o tio Sam, um homem alto e moreno, molhado de chuva, no topo de uma montanha?"

Gemo. "Não sei, não."

"Sabe, sim."

"Vocês estão destinados a ficar juntos", diz Theo, com um minipepino na mão, que ele morde segundos depois. Penso em Charlie por um momento, na época em que conheceu Theo, dizendo: *Ele come pepino como pessoas normais comem bala ou chocolate. É tão grego e exótico.*

Gemo de novo, enterro o rosto nas mãos e depois descanso a testa no balcão. "E a Jenna, então? E o Ed?"

"Vocês não estavam prontos", sugere Theo, como alguém dando um palpite num programa de perguntas e respostas.

Balanço a cabeça. "Não acredito nisso. Eu e o Ed... vivemos tanta coisa e... bom, o Sam tá com a Jenna desde sempre, e ela o ajudou a enfrentar tudo. E é com ela que ele deve estar, daqui a duas semanas."

"Duas semanas?"

"No aniversário de namoro deles, 20 de outubro. Os dois vão se encontrar na terapia de casal. Como o Steve e a Miranda em *Sex and the City*. Na ponte. Pegar ou largar. A decisão final."

Não tenho notícias de Sam desde o hotel. Cheguei a escrever inúmeras mensagens para ele no caminho para casa, enquanto a noite escura passava pela janelinha do trem. Só que não mandei nenhuma. Nem ele. Não sei quando ele volta para o Oregon, para Jenna. Não sei se ele está trabalhando, se ficou em Edimburgo depois do evento. Não o vi, tampouco vi Clay, embora tenha procurado todas as vezes que dava uma escapada do lindo casamento de Candice e Steve. Eu ficava imaginando como seria vê-lo do outro lado do saguão outra vez, de smoking. Ir até lá, pegar a mão dele...

"Ela traiu o Sam, e ele te ama", Charlie diz, pragmática. Ela pega o que sobrou do pepino de Theo. "Não se esqueça desses detalhes."

"Ele não me ama, Charlie. Bom, podemos falar de outra coisa?"

Theo concorda com um sorriso simpático de terapeuta. "Vamos falar sobre o aniversário da Charlie."

"Ah, boa", ela bate palmas. "O que acha de ir acampar? Ah, Nell, por favor, não faz essa cara."

"Os insetos..."

"Não vai ter insetos em janeiro."

Dou risada. "Verdade. Aliás, ninguém acampa em janeiro..."

"Não em acampamentos normais, mas nos chiques..." Ela estende a mão para apertar meu braço. "Com cabanas e aquecimento. E você vai ter bastante tempo pra arranjar um esquema pra sua mãe. Tudo bem, o banheiro vai ser compartilhado, mas vamos dormir em *camas*."

Cruzo os braços. "É isso mesmo que você quer de aniversário?"

Charlie confirma com a cabeça. "Fiz uma lista", ela diz despretensiosamente. "De todas as coisas que são a minha cara. Alan, meu terapeuta, que falou pra eu fazer. Ar livre, acampamento, aventura, caminhada... tá tudo na lista! Ah, a gente podia até fazer uma trilha antes."

"Então tá. O acampamento, a trilha... pode contar comigo."

"Lembra que a gente tinha combinado de acampar? Eu, você, o Ed e a Daisy. Depois que as aulas de vocês terminassem. Eu ia levar aquele baixista que tinha um bração... Lembra? Foi mal, Theo."

Ele ri, coçando a barba preta e cheia.

Assinto. "Lembro."

"Talvez você possa levar alguém", Charlie diz. "Pra dormir sob as estrelas."

Gemo de novo. "Ah, tá. Tipo quem? Quem eu posso levar? Storm? Gary, do 21? Eu até poderia levar o Ed, mas talvez você afogasse o coitado em algum riacho."

"Ah, você sabe muito bem *quem* eu gostaria que você levasse." Charlie dá uma risadinha, tocando o pingente da gargantilha — o de hoje é um drinque com guarda-chuvinha e tudo.

"Ah, claro. *Oi, Sam, sei que você está a oito mil quilômetros de distância bancando o Steve e a Miranda com a sua namorada de sempre que te traiu, mas quer ir comigo pro meio do mato e cagar num banheiro químico?*"

Charlie joga a cabeça para trás e ri com vontade, ao mesmo tempo que a campainha da porta soa.

Theo se vira, endireita o corpo e abre um sorriso digno de comerciante.

"Bom dia, sra. McDonnell", ele diz, sem saber de nada, enquanto Charlie e eu nos viramos com a sensação de que estamos em câmera lenta ao ver a mãe de Ed na porta do Buff, em uma nuvem de perfume, com uma sacola de compras pendurada no ombro e o cabelo loiro curto balançando.

"Olá. Só vim fazer o pagamento. Dos canapés."

A mãe de Ed vê Charlie primeiro e abre um sorrisinho tenso. Então os olhos dela me encontram e se arregalam ao mesmo tempo que a boca se escancara.

"Ah, nossa. *Noelle!*"

"Oi, Helen."

"Meu Deus, faz tanto tempo!" Os brincos verdes em forma de losango sacodem. "Você... você trabalha aqui também?"

"Não. Só vim ver a Charlie. Ela e o Theo são casados."

Helen volta a olhar para Charlie, que assente e acena, sem muita força.

"Ah. Claro. Que mundo pequeno." Helen se vira para mim e cruza os braços. "Como estão as coisas, Noelle? Você parece..." Os olhos dela se demoram em mim, e eu me xingo por estar usando a porcaria de uma calça de agasalho com uma mancha de água sanitária no joelho que parece um Pac-Man. "Ed voltou. Ficou sabendo?"

De soslaio, noto que Charlie olha para mim.

"Hum, fiquei. A gente se esbarrou na rua, na verdade."

"*É mesmo?*"

Isso dói. Ed e eu não nos falamos muito desde Edimburgo. Ele ligou algumas vezes e conversamos, botamos os assuntos em dia, e foi tranquilo. Sempre é tranquilo entre a gente. Simplesmente continuamos de onde paramos, preenchemos o silêncio com palavras vazias e amenidades. Mas me magoa que ele não tenha falado com a mãe sobre mim. Ao mesmo tempo, Ed sempre diz que ela vive se metendo na vida dele, então talvez tenha me escondido porque não quer que isso aconteça. Helen sempre foi assim. Gostava de saber todos os detalhes, todos os nossos planos, para ir riscando os itens da listinha dos McDonnell.

"O Ed mencionou o aniversário do Alistair?" Abro a boca para dizer que sim, que sei que ela está enchendo o saco dele com isso, mas Helen nem me deixa falar. "Imagina, ele não deve ter mencionado. Não ia ficar anunciando um aniversário no meio da rua, depois de ter trombado com você por acaso." Helen ri e procura a carteira na bolsa, enquanto tagarela sobre tudo o que Ed já me contou. Como Alistair nunca deixou que ela organizasse uma festa de aniversário e sempre preferiu jogar golfe o fim de semana todo, mas agora ela está tentando provar que é capaz de fazer isso, e ele vai acabar gostando. Fico só olhando para Helen e pensando: *Seu filho passou o fim de semana comigo. Ele estava em Edimburgo comigo.*

Assinto, sorrio e digo: "Ah, nossa". Até elogio as unhas dela. Sei como lidar com Helen, porque tive que fazer isso por bastante tempo.

"Vai ser um evento pequeno", ela continua falando, "e acho que essa é a chave. Apenas convidados selecionados.

Só os meninos acompanhados já são seis. Com os irmãos do Alistair e as esposas já são dez, fora alguns colegas mais antigos. Enfim, estamos em trinta e dois convidados. Sempre digo que qualidade é mais importante que quantidade. E só casais, sem filhos."

Helen paga os canapés e elogia Theo sem parar, como se eu não tivesse ideia de quem se trata ou do que ele é capaz de fazer, apesar de eu estar bem ali e ser amiga dele. Ela sempre fez isso. Sempre fez com que eu me sentisse nula, como alguém que não tem ideia de como funcionar na vida real. Uma vez indiquei um fotógrafo para quem fiz faxina para trabalhar no casamento de James, irmão de Ed. Helen falava dele como se não fosse eu que tivesse apresentado os dois. Como se ela o compreendesse muito melhor e mais rápido do que eu jamais poderia.

Ela fica na entrada, falando sobre a festa, sobre James, e Bornéu, enquanto escolhe algumas maçãs vermelhas e brilhantes das caixas de frutas e vegetais que ficam do lado de fora. Eu a sigo, saindo para o céu cinza e o friozinho de outubro, como a boa ouvinte que sempre fui. Então Helen começa a falar de Ed.

"O hospital queria que ele ficasse no Oregon."

"Eu sei."

"Acho que o Ed ficou tentado, porque vivia maravilhosamente lá. O aluguel do apartamento saía por *metade* do que pagariam aqui e ficava na esquina do trabalho. Eles iam e voltavam em questão de minutos."

"Sei", digo, mas *eles*? Quem são *eles*?

"Bom, ele foi indicado pra vaga aqui, e eu disse pro Alistair: sei que ele tá feliz lá, mas..."

"Eu sei. Ele estava com saudade de casa. E aceitou."

Ela parece se eriçar como um porco-espinho. Eu a interrompi, e esse é o pior pesadelo dela. Helen inclina a cabeça de lado, como um predador me avaliando.

"A gente tem se visto bastante", digo, odiando não estar mais controlada. "Na verdade, fomos pra Edimburgo juntos no fim de semana. Eu tinha um casamento lá. Fiz as flores. Fui contratada como florista. E ele foi comigo. Pra ajudar."

Helen não diz nada a princípio, mas as narinas parecem bem abertas. "Foi por isso que ele disse que voltou?", ela pergunta, de um jeito quase musical. "Pra Inglaterra?"

"Como?"

"Ele disse que sentiu saudade? Foi isso que ele te falou?"

Confirmo com a cabeça, relutante, fechando meu casaquinho ao sentir uma brisa mais forte. "Sim. Ele me contou tudo."

"Sei." Ela balança a cabeça, de repente parecendo satisfeita. "Só tô surpresa. Não achei que ele tivesse gostado de voltar. Da última vez que eu soube, estava planejando voltar pra lá e encontrá-la na Virgínia, como combinado."

"Virgínia? Encontrar..." Paro de falar. É o que ela quer. Sei disso só pelo modo de olhar. Está jogando isca para ver se eu mordo. "Ah, sim. Eu sei. Ele falou", minto, e Helen dá uma risadinha. É a risada que sempre dá depois de proferir um insulto disfarçado de gracejo.

"Bom, vai saber", ela diz, com um suspiro teatral. "Sou só a mãe, e todo mundo sabe que os meninos nunca contam nada. Com certeza a sua mãe diria o mesmo. Bom, tenho que ir. Foi bom te ver, Noelle. É sempre interessante encontrar alguém do passado."

No entanto, você não me perguntou nada sobre mim, quero dizer a Helen, com aqueles brincos cor de vômito horríveis, *assim não consigo imaginar o que poderia ser interessante.*

"Aproveita a festa. Espero que dê tudo certo."

"Ah, vai ser maravilhoso", ela diz, e vai embora pelos paralelepípedos úmidos enquanto a chuva volta a cair mais forte, com o céu tomado por nuvens pesadas e cor de carvão.

Theo aparece atrás de mim. "Não gosto que as pessoas fiquem pegando as minhas maçãs", ele diz. "Elas nunca tomam o devido cuidado."

Então algo se abre no meu peito, parecendo uma fenda. Penso no que Helen disse. *Só os meninos acompanhados já são seis.* Penso na foto do Twitter de Ed com a mulher de cachos castanho-avermelhados. Em como Helen falou no plural. Duas vezes, certo? Talvez três. E a menção à Virgínia. Como foi que aquele cara disse no hospital, quando minha mãe sofreu o acidente? *Não gostou da Virgínia?* E o que Ed me disse quando perguntei do que se tratava? *Vai entender.*

"Vou com você", digo a Theo.

"Como? Onde?"

"Entregar os canapés na casa da mãe do Ed amanhã. Posso ir?"

30

"Oi, aqui é a Ruth, da escola Jerome, deixando uma mensagem pra Noelle Butterby. Estamos ligando pra todo mundo confirmado no Facebook pra avisar que o evento da cápsula do tempo vai acontecer agora no dia 11, às sete da noite. Esperamos ver você lá."

Theo está no escuro, com a mercearia fechada, usando camisa xadrez, gravata-borboleta e o cabelo bem preto arrumado em um topete penteado para o lado. Ele parece uma mistura de Teddy Boy e barista.

"Theo, é a primeira vez que te vejo arrumado pra entregar canapés, eu amei."

"Também amei a sua roupa." Ele sorri para mim. "Você tá perfeita, Noelle."

"Acha mesmo?" Sinto um friozinho na barriga. Estou usando um vestido vermelho transpassado na altura do joelho e com a saia plissada, que vi uma *influencer* usando no Instagram. Como eu, ela é alta e tem quadril largo. Nunca comprei nada pelo Instagram, mas soube na hora que precisava fazer isso, até porque tinha o dinheiro do casamento de Steve e Candice. No segundo em que coloquei o vestido, me senti confiante. É o tipo de coisa que sempre tinha sonhado em usar no futuro. O vestido dos meus devaneios, algo que a Noelle Butterby do futuro compraria depois que a vida começasse. Mas de que adianta algo que está sempre tão distante, em que você nunca consegue pôr as mãos?

Charlie aparece atrás do balcão, com Petal no colo.

"Puta merda." Ela assovia. "Você tá estonteante. Tipo... fico até com vontade de chorar. Cara, de verdade. Você tá bonita demais pra entregar azeitonas com nacos de queijo pra uns ricaços idiotas." Ela faz uma careta na direção de Theo. "Desculpa, querido." Então volta a olhar para mim. "Você acha mesmo que deve ir? Adoro o fato de você estar agindo, mas... não entendo muito bem por que isso."

Senti a mesma coisa depois de ter dito que iria com Theo e repassei tudo mentalmente a caminho de casa, toda a conversa com Helen, o fato de que eu sabia o tempo todo que tinha algo de errado na minha relação com Ed. O modo como eu me sentava no apartamentinho dele e sentia que estava no mundo de outra pessoa, me intrometendo ou coisa do tipo. Agora não acho mais que a questão fosse o apartamento. Não acho que fosse a decoração feia, a tigela manchada em que ele punha os amendoins. Eu sabia que tinha algo errado. *Sabia*. No fundo do coração, ainda que minha cabeça não acompanhasse. Acho que Ed conheceu, sim, alguém nos Estados Unidos. Acho que ela está esperando por ele na Virgínia. E a gente... bom, talvez seja por isso que quero ir à festa. Para entender do que se trata. Para poder olhar para ele, na casa dos pais dele, sem mim, e compreender que não existe Ed e Noelle. Não existe há muito, muito tempo.

Quando cheguei em casa, fiquei aliviada ao encontrar Ian sentado no sofá com a minha mãe. Ele está sempre lá ultimamente, e tanto minha mãe quanto Ian parecem mais felizes. Ontem ela até falou em ir almoçar em um café novo que abriu, aquele de que Ian está sempre falando. *Talvez a gente possa comprar algo pra experimentar aqui antes*, ela disse. Ele sorriu e falou: *Boa ideia.* Eu tive que me segurar para não pegá-la orgulhosamente pelos ombros e dançarmos juntas na sala.

Me sentei na frente deles, na poltrona, e contei tudo sobre Ed, enquanto uma raiva fresca e recente borbulhava sob a minha pele. Foi muito bom me abrir — contar com a minha mãe, em vez de ser o ponto de apoio, para variar. Chorei, o que ao mesmo tempo esperava e não esperava que acontecesse. Eu não queria mais Ed. Mas ainda assim me sentia usada, ou algo parecido. Alguém que ele achava que podia simplesmente reivindicar e aproveitar um pouco.

"Acha que ela vai estar lá?", Ian perguntou. "A mulher."

Fiz que sim. "Vai. E acho que tenho que ver com meus próprios olhos. Pra pôr um ponto-final nessa história."

Aí é que está: não é de agora que meu mundo está parado, e acho que Ed sabia disso. Ele achava que podia vir para casa e voltar no tempo, como se eu fosse estar esperando. E acho que, de um jeito meio tortuoso, isso funcionou para mim também: voltar no tempo, à segurança, à velha rotina.

"Acho que quero um ponto-final", digo a Charlie agora, enquanto a mão dela traça círculos nas costinhas gorduchas de Petal.

"Mas se o Ed tiver uma namorada..."

"Ed não vai me dizer, Charlie. Já perguntei. E... agora me parece óbvio que ele tem."

"Então por que você precisa ir até lá?"

"Quero ver, Charlie. Sei que parece esquisito e até maluquice, mas preciso ir até lá, até aquela casa, até os McDonnell. Preciso ver Ed ali, sem mim. Sentir isso e... me despedir.

Quero desistir dele. Acho que nunca desisti de verdade. E não só dele."

Charlie me observa triste, com rugas no canto dos olhos. "Eu entendo. Meu terapeuta sempre diz que, se é possível fazer alguma coisa fisicamente pra superar algo e seguir adiante, tipo escrever uma carta e queimar, ou encarar a pessoa ou a coisa em questão, então a chance de lidar de fato com o problema é maior. E seguir em frente..."

Guardamos os canapés na van, e Theo confere mais de uma vez se pegamos tudo antes de fechar as portas. Charlie nos acompanha e se despede do marido com um beijo. Ele dá um beijo na testa de Petal e outro na dela.

"Esse vestido..." Charlie sorri para mim, depois me dá uma piscadinha. "Vai lá e mostra praqueles metidos quem é Noelle Butterby. E, o que quer que faça, tenha uma bebida na mão pra jogar na cara dele. Gente rica adora essas coisas. Foram eles que inventaram." Consigo vislumbrar Charlie Wilde nela agora. A garota de cabelo colorido que se encontrava comigo e com Daisy depois da aula, passava os braços nos nossos ombros e sussurrava: *Os caras daqui parecem chatos pra caralho.*

Saímos com a van. Charlie fica fazendo o bracinho gorducho de Petal, coberto por um casaquinho de lã, acenar para nós. Ela tem uma filha. É mãe. Percebo que quero isso também. Uma coisinha minha. Quero fazer as coisas acontecerem. E não só um dia. Estou pronta para que esse dia seja hoje.

Estacionar na casa dos pais de Ed é uma experiência surreal. Continua tudo igualzinho. As glicínias roxas cobrindo os tijolinhos bege e caindo ao longo da porta da frente em cones lindos e pesados. As janelas de madeira ao estilo georgiano e as venezianas imaculadas. Me lembro de ter pensado na primeira vez que vim aqui: *Ed é rico*. Então senti que encolhia, até não passar de uma partícula de poeira. Não tenho certeza de que cheguei a voltar ao tamanho normal perto deles depois disso.

A entrada de cascalho está cheia de carros, além de uma Harley-Davidson preta e roxa enorme que grita "crise da meia-idade". Theo estacionou na rua. Ele põe os canapés num carrinho enquanto observo à distância as pessoas conversando sob o brilho âmbar da sala de estar de pé-direito alto. Ainda não o vejo, mas sei que ele está lá dentro. Sinto minhas entranhas se revirando enquanto Theo tranca o porta-malas. *Não*. Não, eu preciso disso. Preciso entrar na casa, com a coluna ereta, sendo eu mesma, e preciso encarar tudo o que acontecer. Se "algum dia" é hoje, não posso mais ter medo. Tenho que me desapegar. Tenho que abrir espaço para novidades. As coisas mudam mesmo. *Diga sim, entre em pânico depois*.

Theo e eu damos a volta e entramos pela porta de trás, seguindo as instruções que Helen mandou por e-mail. Era sempre assim quando eles faziam churrascos. Os convidados entravam pela frente, e a família e todos os "empregados", como ela chamava, entravam por trás, como gado, longe da vista. A grama bonita e aparada do vasto quintal nos fundos está levemente molhada, e eu quase escorrego e deixo a bandeja cair. É claro que Helen está *bem aqui*, olhando para mim como um gato que acabou de vomitar na bancada da cozinha.

"Ah." Os olhos estão arregalados. Ela leva uma mão ao peito, enquanto segura uma taça de champanhe na outra. "Noelle", Helen diz, tensa.

"Sra. McDonnell", Theo sorri. "Trouxe os melhores canapés e a melhor ajudante que alguém poderia ter."

Olho para a única bandeja que estou carregando, de miniquiches ligeiramente sacudidos, então olho para o volume imenso de caixas que Theo carrega, e noto que Helen faz o mesmo. "Isso. Vim ajudar. Onde quer que a gente ponha?"

"Podem entrar e passar tudo pras travessas na bancada. Depois podem ir." Quando ela diz a última parte, posso jurar que está me fuzilando com os olhos.

Nós a seguimos para dentro da enorme cozinha em estilo rústico. O cheiro é o de sempre: difusores de lavanda e baunilha, pot-pourri e alho amanhecido. Está tudo no lugar. Absolutamente nada mudou. Ainda assim, tudo mudou.

Helen fica de guarda na porta da cozinha, enquanto uma mulher vestindo um dólmã branco de chef verifica mais de uma vez o que está no forno, que pelo aroma é frango assado com vinho tinto. Ouço vozes, risadas e músicas do Rat Pack tocando. As mesmas músicas. A mesma louça fina e branca, os mesmos lustres dourados. Tudo é o mesmo. No entanto, enquanto passo canapés para uma travessa enorme de cerâmica branca, não me sinto a mesma. Não sou uma partícula de poeira. São só pessoas, como eu. Talvez eu não tenha dinheiro para fazer doutorado ou uma viagem para Bornéu, mas são só pessoas. Eu não preciso me encaixar. Não sou uma peça de quebra-cabeça procurando meu lugar e nunca fui. São só pessoas, são só travessas compradas na John Lewis, Helen é só uma antiga professora entediada, com filhos adultos que deixaram o ninho vazio.

"Nellie."

Ed está na cozinha agora, usando calça social e camisa azul, com o primeiro botão aberto. Parece pálido e surpreso.

"Oi." Helen olha para nós dois, nervosa, como se fôssemos um show de horrores prestes a começar.

"Oi, Theo."

Theo acena com a cabeça para Ed. "Tudo bem, cara? Espero que não se importe por eu ter trazido ajuda."

Ed ri, nervoso, depois se vira para a mãe, com os olhos arregalados, como uma criança na sala da diretora. "N-não, não, imagina."

Fica um silêncio mortal por um momento, a não ser pelo barulho de Theo tirando o filme plástico e da chef abrindo e fechando o forno, como se estivesse se distraindo, porque até ela sente o desconforto no ar.

Ed e a mãe trocam olhares, e Helen vai embora sem dizer nada, deixando que a porta da cozinha se feche suavemente.

"Nell, podemos..." Ed aponta a cabeça para o enorme quintal dos McDonnell, escuro e gelado, do outro lado das portas enormes.

"Não tem problema", Theo diz, erguendo os olhos da travessa. "Eu assumo daqui."

Amasso a grama com os pés conforme nos afastamos alguns metros da casa. Ouço o barulho da fonte atrás de mim. Helen costumava dizer que era um espelho d'água, e Ed e os irmãos riam, tirando sarro dela. "Sei que não parece tão glamoroso", Tom comentava, "mas fatos são fatos, sinto muito. É só uma fonte grande."

"O que você tá fazendo aqui?", Ed pergunta, como se achasse graça, mas na verdade como quem pergunta: *que tipo de joguinho é esse?*

"Sua namorada tá aqui?"

"Quê?"

"Sua namorada. A que ficou te esperando na Virgínia."

"Eu..." Ed leva a mão à nuca, se coça e me olha de lado,

e fico achando que vai tentar bancar o espertinho. Então fecha os olhos e se rende. "Sam te contou."

"*Sam?* Não. Ele não me contou nada. O que é que ele sabe?"

Ed suspira e passa a mão pelo cabelo. "Conversamos um pouco no hospital. Só besteira, sabe? O pai dele falou sobre a primeira esposa e as namoradas que tinha..."

"E você falou que tinha uma."

Ed faz que sim com a cabeça, devagar. "Achei que ele fosse te contar. Eu não sabia quem ele era, claro." Agora faz sentido. A frieza de Sam e a conversa séria no saguão do hotel quando surpreendi os dois.

"Se você soubesse quem ele era, o que mudaria? Você teria mentido?"

"Nell, eu sinto muito..."

"*Eu te perguntei.*" As palavras cortam o silêncio no jardim. A fonte continua jorrando na escuridão.

"Eu não sabia o que dizer", Ed diz, magoado. "É complicado, Nell."

Dou risada. De nervosismo, como Helen. "Ed, até pra você isso é..."

"Estávamos noivos."

As palavras parecem aterrissar na grama entre nós. Como granadas.

"Mas não estamos mais. Ela não tá aqui. Claudia..." *Claudia*. Ela parece uma Claudia. *Uma Claudia se encaixaria perfeitamente aqui*, penso, olhando para as portas duplas ao estilo georgiano da sala de estar de pé-direito alto. "Não quero mentir. Nunca quis. Mas não acabou, Nell. Estamos dando um tempo. Ela recebeu uma oferta de trabalho ao mesmo tempo que eu, mas em outro estado, na Virgínia, e..."

"Ela é médica."

Ed confirma com a cabeça, quase constrangido. Como se esperasse que eu tire sarro disso, que diga que é previsível. Um clichê. "Oncologista. Sei que eu deveria ter contado. Mas deu tudo errado, sabe?"

Dou de ombros e não digo nada.

"Aconteceu tudo junto. Fizemos a festa de noivado e começamos os preparativos, aí o pai dela me deu as alianças dos pais dele, e de repente tudo pareceu real demais... Então Tom me ligou falando do emprego. Me dando uma possibilidade de voltar pra casa. Ela não queria que eu viesse, mas eu não queria ir pra Virgínia, por isso a gente meio que terminou. Ou deu um tempo. Eu vim pra casa, te vi, e tudo..."

"Continuava igual", acrescento por ele.

"É. E era tão fácil, em todos os aspectos. Fingir que eu nunca tinha ido embora. Que as coisas nunca tinham ficado complicadas, que continuaram como sempre tinham sido. Por um momento, até achei que talvez a gente pudesse... sei lá. Continuar de onde parou."

Uma risada estrondosa chega da casa, e nós olhamos para ela, imponente e grandiosa atrás de nós, nos observando como tantas outras vezes ao longo dos anos, neste mesmo lugar.

"Acho que não tinha como isso acontecer", digo a Ed, triste. "Não de verdade."

"É. Eu sei."

Porque você não me ama por quem eu sou, quero dizer. Você ama quem eu poderia ser. A Noelle que deixa a mãe para trás, que não se importa tanto, que quer estudar administração, que ganha muito dinheiro, que almeja ir embora desta cidadezinha, comprar uma casa enorme e riscar todos os itens daquela lista. E é verdade que eu quero ver o mundo, claro que quero. Quero viver aventuras, quero que meu hobby também seja minha profissão. Mas não quero largar minha família. Não quero abandonar esta cidade para sempre.

"Foi por isso que você nunca aceitou meu pedido no Instagram?"

Ed olha para os próprios pés, depois para mim, com o rosto inclinado para o lado. Ele volta a fechar os olhos e assente. "Tem um monte de fotos lá. Da gente."

Isso dói. Eu estaria mentindo se dissesse que não. Não quero ficar com Ed. Mas, independente de uma relação estar terminada, sempre tem uma pequena parte nossa que se pergunta caprichosamente o que teria acontecido se as coisas fossem diferentes. O Instagram de Ed estaria cheio de fotos minhas se eu tivesse ido com ele? Ou teríamos acabado aqui de qualquer maneira, neste quintal frio e escuro?

"Sinto muito, Nell. Eu deveria ter sido sincero quando você perguntou. Mas olhei no seu rosto e..."

"Te conheço bem o bastante pra saber que tinha alguma coisa ali." A fonte continua jorrando na escuridão. O som distante de talheres tilintando chega da cozinha. "Só não sabia o quê. E acho que não queria acreditar. Morri de saudade de você. E de repente você estava aqui."

"Eu sei."

"Era quase fácil demais."

Nenhum de nós fala por um tempo. Ficamos ali, em silêncio, com a respiração condensando na noite. Então Ed pega minhas mãos, com delicadeza. "Eu te amei, Noelle, se é que isso importa. Fiquei louco por você assim que te vi. Te amei no mesmo instante. Esse sorriso. Esse cabelo..."

Lágrimas quentes se acumulam nos meus olhos, enquanto ele enrola um cacho no dedo e solta. "Eu também te amei."

"Eu sei, Nell", Ed diz, baixo. "Sei que você me amou. E

a gente foi um bom casal. Por um longo tempo, fomos um bom casal."

"Fomos", repito. Ed assente e leva minhas mãos à boca. Ele dá um beijo em cada uma.

"Fomos", ele diz também.

A música fica mais alta dentro da casa, e risadas chegam pela porta aberta da cozinha. Vejo a silhueta de Theo, fechando o zíper do casaco.

Eu me inclino e beijo a bochecha de Ed pela última vez. "É melhor você voltar."

Ele engole em seco e não diz mais nada. Enxugo as lágrimas rapidamente, com as costas da mão. Não digo que vou mandar mensagem. Não digo que vou encontrá-lo na estação de trem depois do trabalho para tomar um café. Nem pergunto se ele vai estar no evento remarcado para semana que vem. Só solto as mãos dele.

"Tchau, Ed", digo, e vou embora. Eu o deixo ali, na grama. Meu passado, meu cobertorzinho de segurança, com apenas o céu escuro e estrelado como testemunha.

31

Quando chego, com uma sacola de comida e dois copos do Starbucks, Frank está sentado na poltrona com caixas ao redor, como se fossem um forte. Ele sorri para mim. O cara é capaz de *sorrir*.

"Bom dia, Frank. Trouxe chá. Caso a chaleira já tenha sido encaixotada."

"Não foi. Mas o George ali já embalou as canecas."

George, o companheiro de squash de Ian, aparece na porta da cozinha. É um homem grande. "Desculpa", ele diz, com um cigarro eletrônico na mão enorme. "Foi mal mesmo." Ele sorri para mim. "É bom finalmente te conhecer. Que belo trabalho foi feito aqui. O Ian disse que você seria perfeita e estava certo."

"Ah, obrigada."

Frank não diz nada, mas assente, quero acreditar que concordando. George volta para a cozinha. "Vou desligar a máquina de lavar de novo. Essa porcaria não é fácil."

O dia da mudança de Frank chegou rápido. Ninguém acreditaria que o apartamento que encontrei quando bati na porta do 178A aquele dia, no começo do verão, o apartamento que Sam me mostrou em meio a um *puta constrangimento*, é o mesmo em que estamos agora. Sério, sinto orgulho de mim mesma pelo trabalho que fiz. Mas, principalmente, sinto orgulho por ter feito parte disso. É um novo começo para Frank — deixar para trás algo de que ele tinha medo de abrir mão. E espero que, de alguma maneira, eu o tenha ajudado a sentir que é capaz disso.

"Sam vai demorar pra voltar", ele diz, ríspido. "Disse que só chega no sábado, o que não me serve de nada, por isso George tá aqui. A filha dele falou que ajudaria também. Então..."

Meu coração para na hora. "Então Sam vai voltar?"

O reencontro de Sam e Jenna estava marcado para mais de uma semana atrás. No aniversário de namoro deles. Fico imaginando como foi, me remoendo, incapaz de parar de pensar a respeito. Sam, lindo e ao vento, com uma beldade de cabelos compridos e sorridente correndo em sua direção para um abraço, depois ele a girando e a câmera se afastando, enquanto uma música romântica do Bon Jovi toca...

"Até onde eu sei, sim", Frank diz. Tomamos nosso chá devagar, em sincronia. "Tenho que te agradecer", ele fala despreocupadamente, como se palavras bondosas assim sempre tivessem estado à espera. "Por todo o trabalho duro."

Eu me derreto, como sorvete no sol. "Tem certeza que tá sendo sincero?", brinco. "E não foi nada."

"Sam disse que você era uma bênção, mas... Bom, eu te achava um pé no saco, pra ser sincero. Toda a falação..."

"Eu só falava comigo mesma, graças a você." Dou risada. "Um pé no saco... Isso é pouco. Em certo momento achei que você quisesse que eu morresse."

Frank solta uma risada rouca, depois se recosta na cadeira e olha para mim, as mãos nodosas envolvendo o copo. "O Sam gosta de você. Posso não saber muito, mas disso eu sei."

Sinto o coração batendo nos ouvidos. "Bom, eu também gosto dele..."

"Não, estou falando gostar de verdade. Sam fica diferente com você aqui. Ele..." Frank abre uma mão sobre as pernas. "Se entrega." Então olha para mim. "Aparece mais. Faz planos. Sam fica meio à toa sem você, sabe? Perdido."

"Sério? Ele não me parece perdido."

"Hum..." Frank parece pensar enquanto toma um gole de chá. "Ele nunca superou. A perda do Bradley. O primo. Sabe?"

Faço que sim com a cabeça.

"O Sam era bem jovem, mas... as coisas que acontecem quando somos novos... acho que mexem mais com a gente. Com a nossa programação interna. Viramos prisioneiros delas." Frank toma outro gole. "Por outro lado, a verdade é que nenhum de nós nunca mais foi o mesmo. Nem vejo mais meu irmão, o pai do Bradley. Sam te disse isso?"

"Não." Balanço a cabeça. "Ele não comentou." Enquanto Frank fala, sinto uma dor no peito. Fui prisioneira do que aconteceu. E parece que Frank também foi. Ele é um homem solitário. Não tem o sobrinho, o irmão e, na maior parte do tempo, nem Sam. Todos foram separados por esse evento terrível. Deve ser fácil ficar triste e aborrecido com o mundo quando se está sozinho.

"O que aconteceu?", pergunto, pressionando um pedaço de fita adesiva marrom meio solto em uma caixa ao meu lado, marcada como DVDs.

"Ele não te falou", Frank diz, e não é uma pergunta. Ele não parece surpreso. "Bom, Sam não fala sobre isso."

Penso em Daisy, em como dificilmente falo dela também. Por muitos anos, eu tinha medo de que, se falasse, as pessoas fossem me julgar, achar que eu poderia ter feito alguma coisa, que poderia ser eu no lugar dela, ou iam querer detalhes, saber a fofoca. Todo mundo adora uma tragédia. Eu também tinha medo de que, tocando no assunto, fosse chamar atenção para o fato de que eu ainda estava ali, viva, invocando o que quer que seja que a tenha levado para voltar e dar um jeito na situação.

Frank olha para o próprio chá, depois para mim. "Sempre me culpei um pouco. Ele estava descontrolado, e Sam era muito sensato, forte e bondoso. Ainda é. E... bom, o primo o admirava. Quando o Sam vinha, deixávamos que ficasse de olho no Bradley e o acompanhasse. Em retrospectiva, era muita pressão pra colocar nele. Sam era só um garoto. Podia ser muito maduro, mas não passava de um adolescente. E foi assim que aconteceu. Quando Sam o deixou sozinho, só por um segundo..."

"Nossa, que horror."

"Era ele que estava de guarda, se é que se pode dizer assim. Bradley tinha acabado de sair do hospital. Achamos que ficaria em casa, que ia se adaptar."

Penso no dia em que voltei do hospital depois de me perder. Acho que minha mãe deve ter ficado chocada com quão longe de "normal" ou "melhor" eu estava. Eu me sentia insegura e incerta em casa. Tinha liberdade demais. Acho que ela esperava que eu chegasse em casa, dormisse na minha própria cama e acordasse nova em folha, como acontece depois de uma gripe. Pobre Sam. Pobre Bradley. Ele foi para casa cedo demais. "Isso é terrível. Sam deve ter..."

"É", Frank me corta. "Ele ficou bem mal por um tempo. Culpava a si mesmo."

Sinto uma pontada no peito. Sam deve ter carregado um fardo muito pesado por um longo período. Entendo isso muito bem. Porque começo a me culpar facilmente. Por causa da Daisy. Inúmeras vezes, repassei mentalmente o que eu poderia ter feito para salvá-la. E por causa da minha mãe. Fui eu que causei o derrame, quando me perdi? Com toda a pressão e a preocupação que pus nela? Eu queria que Sam estivesse aqui. Queria poder dizer a ele que compreendo. Que ele não precisa fugir, assim como eu não preciso me esconder.

"Bom..." Frank inspira fundo e solta o ar devagar pela boca, com as bochechas cheias de veias. "Acho que ele vai voltar... por você."

"Por mim?"

"É, por você." Frank ri. É a risada rouca de um fumante, vinda da garganta. "Não vai ser por mim", ele garante. "Acho que nunca seremos garotos-propaganda da relação entre pai e filho. Cometi erros, eu sei. Mas Sam... ele vai voltar por você. Sei disso."

Olho em volta, para o apartamento vazio de Frank, para a TV baixa, para a madeira sem alma, para a falta de fotos, ornamentos e itens pessoais. Quase posso sentir o fantasma do Sam adolescente solto aqui, sempre se sentindo deslocado. Agora o lugar vai ser um novo começo para outra pessoa.

"E quanto à Jenna?"

"Ah." Frank passa a mão pela boca fina. "Bom, Jenna... ela é uma boa moça. Simpática. Sensata. Ela o ajudou a se levantar, o trouxe de volta à vida. Só que eles não deveriam estar juntos. Não mais. Aí é que tá: acho que eles sentem que estão presos e devem algo um ao outro."

Assinto. "Sei bem como é isso."

"Eu também."

Ficamos bebendo o chá, sem que nada interrompa o silêncio a não ser a televisão e George falando ao telefone na sacada.

"Se você quer minha opinião", Frank diz de repente, "acho que ele tem medo."

"Sam não me parece o tipo que tem medo. Ele escala montanhas. Montanhas congeladas. Com leões."

Frank dá de ombros. "É mais fácil escalar uma montanha do que arriscar ter o coração partido."

32

A casa está num silêncio mortal enquanto desço a escada. Faz quase duas semanas que vi Ed na casa dos pais dele. É o dia do evento da cápsula do tempo. Nada de vestido de seda dessa vez. Escolho um jeans, um suéter e o máximo de camadas que puder vestir ao mesmo tempo. O celular está carregado e o carro está abastecido de lanchinhos. Será que é ruim — e de fato perguntei isso a Charlie pela manhã — eu estar torcendo para nevar mais do que nunca esta noite e para Sam, que chega hoje, ficar preso na estrada comigo? Coisas mais estranhas já aconteceram, pelo menos com nós dois. Sinto falta dele. Sinto *muita* falta dele. Sinto falta dele todos os dias desde Edimburgo e penso nele sem parar, em loop, até a cabeça e o coração doerem.

Chego ao pé da escada, viro e congelo. Minha mãe, Dilly e Ian estão sentados à mesa da cozinha. Os olhos dela estão vermelhos, e os do meu irmão também. Ian olha para mim e abre um sorriso triste.

"Ah, meu Deus." Faço uma pausa. "O que aconteceu?"

"Nada com que você deva se preocupar", Ian diz, simpático.

"Venha se sentar aqui, querida", pede minha mãe, e as palavras saem carregadas. A mão delicada dela dá uma batidinha no tampo da mesa. "Vem cá. Aqui, do lado do Dilly."

Nem percebo meus passos até a mesa. Num minuto, estou ao pé da escada; no outro, estou à mesa. *Merda*. Tem alguém doente. Alguém vai me contar que...

"O Ian me levou ao médico hoje."

Bile inunda meu estômago. "Ah, meu Deus, mãe."

"Não, não, eu tô bem. Tô bem, não tô doente. Tô bem mesmo." Ela estende o braço sobre a mesa e aperta meus dedos, com as mãos frias e suadas. "Mas... bom, eu não tô bem, não é, Noelle? Não de verdade. Vivendo assim. Isso não é normal."

Lágrimas brotam nos meus olhos. Acho que nem é preciso muito para me fazer desmanchar em lágrimas esta noite. Sou uma bolha de emoções prestes a estourar. Vou voltar à escola pela última vez, para pegar a câmera da Daisy. Vou visitar de novo o local onde sinto que deixei uma parte de mim, tantos anos atrás. Ouvindo essas palavras saindo da boca da minha mãe, as lágrimas rolam. De novo sinto como se fosse um boneco de cera derretendo.

"Bom, Ian e eu fomos ao médico. Me deram isso." Ela empurra uma caixinha branca sobre a mesa. "E... eu me inscrevi pra fazer terapia em grupo. Pelo sistema de saúde. Tem uma fila de espera, mas enquanto isso... O Ian conhece alguém. Uma terapeuta. A gente foi lá hoje também. O Ian disse que vai me ajudar a pagar. Se for preciso." Minha mãe sorri para ele, chorosa. Ian assente uma só vez, orgulhoso.

"Ela disse pra gente começar devagar", ele conta. "Não pensar na volta à vida normal, ou à vida antes do derrame. Vai ser um novo normal. Temos que seguir em frente e descobrir o que é esse novo normal pra sua mãe. E pra vocês."

Dilly passa o braço cheio de pulseirinhas nos meus ombros e me puxa para si. Choro no ombro dele, deixando o tecido fino da camiseta cor-de-rosa molhado. "Ah, ranho. Que beleza. Valeu."

"Você tá cheirando a biscoito", digo, chorando ali. "E bastante."

"Porra, Elle!" Dilly ri, mas quando me afasto e olho no rosto dele, vejo que os olhos dele também estão marejados, o que só me deixa com mais vontade de chorar.

"Eu vi as fotos do casamento", Dilly diz. "No Instagram. Elle... você tem que investir nisso. Você matou a pau. Ficou *incrível*."

"Eu quero, Dill. Quero mesmo."

Ian cobre a boca com o punho fechado e pigarreia. "É por isso que eu vou voltar a morar aqui do lado."

"Quê?"

O rosto pálido dele de repente fica vermelho. Ele entrelaça os dedos. "O contrato de aluguel dos novos vizinhos tá quase acabando, e eles não querem renovar. Fora que, sinceramente, senti falta de vocês. Da Belinda — sua mãe — ainda mais. Mais do que consigo expressar, na verdade." Ela sorri para ele, mas noto lágrimas nos cantos dos olhos. "Sei que não sou parte da família. Sei que sou só o vizinho e o que eu acho é irrelevante. Mas..." Ian baixa os olhos para a toalha de mesa e pressiona uma bolinha da estampa com o dedo. "Quero muito te ver feliz, Noelle."

A chuva bate na janela, a geladeira zumbe e as lágrimas rolam, caindo uma a uma sobre a mesa e formando pequenas poças.

"Você...", minha mãe começa a dizer, voltando a apertar minha mão. "Você tem sido a luz na minha vida. Mas não é justo, Noelle. Não é justo eu ficar te segurando. Houve alguns momentos nos últimos meses em que isso ficou muito claro pra mim. Você estava... feliz, diferente. Me preocupo que você deixe a vida passar só pensando nos outros... sacrificando a si mesma."

"Mãe, eu..."

Meu celular toca. É um alerta, para me lembrar do evento. Como se eu pudesse esquecer.

"Eu... desculpa, tenho que ir. É aquele lance da cápsula do tempo e... bom, na verdade, não preciso ir. Posso ficar aqui com vocês."

"*Não*. Vai." Minha mãe abre um sorriso em meio às lágrimas. "Amanhã falamos. Se eu não acordar com duas cabeças por causa do remédio novo." Ela olha para mim, faz uma careta e ri. "Tô brincando."

Ian pega um envelope da bancada da cozinha, atrás dele, e põe na mesa.

"Ah, eu só queria te entregar isso antes. Seu último pagamento. Pelo trabalho na casa do Frank. O George deixou comigo." Ele desliza o envelope por cima da mesa. "Parece que o Frank tá muito feliz. Adorou o lugar novo. Disse que você deixou lá com cara de casa."

"Que bom", digo, sentindo uma pontada no coração ao ver o envelope com meu nome escrito com os garranchos de Frank. "Ian?"

Ele olha para mim.

"Você é da família, sim. Você é tão parte dessa família quanto eu. Não seríamos nada sem você."

Os olhos dele brilham. "Bom", Ian engole em seco. "Certo. Obrigado, Noelle. É muita bondade da sua parte."

NOELLE

Oi! Tava pensando... o quiosque dos pais do Theo continua disponível?

CHARLIE

QUUUÊÊÊ???

PRA VOCÊ?

Diz que sim, por favor!

NOELLE

É! Só pra saber, na verdade. Talvez nem seja possível.
Mas SIM! SIM! PRA MIM!

CHARLIE

Ai mds! Vou chorar. Tô chorando. São os hormônios.
Ridículo. Tão me transformando numa pateta.

33

O reencontro é exatamente como imaginei que seria. Holofotes iluminam o local, como há quase dezesseis anos. Tem música tocando — ouço as notas baixas e profundas de uma banda ao vivo à distância — e a fumaça do churrasco sobe no ar. É uma festa animada. Com pessoas, carros, barulho e as mesmas estrelas espalhadas no céu.

Uma jovem sorri ao lado de uma mesa com etiquetas na entrada. Usa cílios postiços enormes e sombra em degradê que vai do *pink* ao amarelo-canário.

"Pegue uma etiqueta e escreva seu nome", ela sorri alegremente. "Depois é só entrar. Tá tudo aberto, se quiser dar uma olhada."

Algo efervesce dentro de mim quando me dirijo com uma pequena multidão à entrada, passando pela recepção e pelo pátio cheio de luzinhas. Empolgação, imagino. *Espero.* Porque foi aqui que eu deixei toda a esperança que tinha. E posso recuperá-la.

A banda toca alto, o churrasco chia na grelha e solta fumaça, as pessoas ficam em grupinhos, como se fosse um minifestival de música. Fico de pé, firme no concreto, e olho para a janela da sala de inglês de onde Daisy costumava acenar para mim. Com o rosto tão lindo. O rostinho lindo dela, feliz e cheio de vida. Num minuto, ela estava ali, e no outro tinha ido embora, destinada a ser pauta de uma ou duas matérias no jornal local e depois ser esquecida lentamente pela maioria.

Fecho os olhos. *Sinto sua falta*, digo a ela, mentalmente. *Não sei o que vai acontecer, mas, quando fecho os olhos, sei que você tá me acompanhando, sei que tá comigo, dizendo:* Vamos, Elle. Sai pro mundo e vive uma aventura. Tudo espera por você. *E eu acredito. Dessa vez, eu acredito em você, Daisy.*

Abro os olhos e congelo por um momento. Porque acho que vejo Sam. É claro que sim, porque acho que o vejo em toda parte. É como se eu andasse tendo alucinações, como se tivesse tomado paracetamol demais ou coisa do tipo. As costas de um homem alto, correndo pela cidade. O som de qualquer pessoa com um sotaque levemente americano. Dilly e minha mãe estavam assistindo a um filme na outra noite e senti um friozinho na barriga quando ouvi alguém dizendo "dólares". Sinto falta de Sam. Sinto falta da sua voz, dos seus lábios, do jeito como ele faz com que eu me sinta viva, notada e perfeita, por quem eu sou. Não por quem eu poderia ser. O que eu quis dizer para Ed é verdade: ele me amou por quem eu poderia ser. Não por quem eu sou. *Amor.* É amor com Sam. Pelo menos é o que eu sinto por ele. *Merda.* Bom, aí está. Noelle Butterby está apaixonada. Isso deveria me assustar, mas não assusta, e não consigo evitar o sorriso que parece tomar conta do meu rosto — tão amplo que abriria uma rachadura no gesso. Alguém que não conheço me olha e estranha ao passar, por isso escondo o sorriso com a mão.

Dou uma volta pelo terreno, vagando sem rumo, sentindo cheiro de madeira e ouvindo o barulho ocasional e distante de fogos de artifício. Estou recapitulando coisas esquecidas, como as páginas de um livro pop-up, e com elas vêm as lembranças. Ed passando o braço por cima dos meus ombros, o modo como Daisy olhava para Lee enquanto ele fumava do lado de fora da escola. Como todos éramos felizes.

Compro um cachorro-quente, como Daisy e eu fizemos quinze anos atrás. Fico assistindo à banda, como nós fizemos, depois compro um drinque sem álcool da barraca de bebidas e entro. Quero a câmera. Quero muito. Mas acho que já me conformei com o fato de que ela pode ter se perdido. Me lembro perfeitamente da Daisy. Me lembro de Ed e Noelle naquela época também. Nenhuma câmera será capaz de trazê-la de volta, ou de trazer o que quer que seja de volta. Ela era uma adolescente. Eu sou uma adulta. Não tenho um sofá de canto ou um marido vestindo suéter. Mas estou aqui. A Noelle de agora está aqui.

Na grande área de recepção, as pessoas se amontoam em torno de fotografias antigas nas paredes. Entro em um espacinho que sobrou diante de algumas imagens que parecem ter atraído uma bela multidão. Não estou preparada para isso. Mas aqui está. O rosto de Daisy, e escrito em papel laminado em cima: "Partiram cedo demais". Daisy Cheng. Dezessete anos. Ao lado está a foto de outro aluno, que não reconheço. Robert "Duff" Duffield. Dezesseis anos. É mais gente do que seria de esperar. Rostos sorridentes, congelados no tempo. E então, ele. Lee. Sinto uma pontada no coração ao vê-lo. Está sorrindo na foto, com os olhos azuis e o cabelo bagunçado, e eu me dou conta de que nem sabia direito que cara ele tinha. Nunca o vi de perto, de verdade. Era só o garoto fumando para quem Daisy acenava timidamente. Fico envergonhada e sinto meu corpo formigar. Fui tão consumida pela dor da perda dela que mal pensei nele. Lee sobreviveu duas semanas inteiras depois da morte dela. Minha mãe leu a nota de partir o coração no jornal local.

"Ele tá no hospital", ela me disse. "Mas se concentre em si mesma, querida. É o que a Daisy ia querer."

Depois fiquei sabendo que ele tinha morrido também. Não lembro como descobri, mas descobri. Sempre que penso naquela época, sinto como se minhas lembranças estivessem submersas. Lentas, borradas, turvas. Não me lembro de semanas inteiras, meses inteiros, mas me lembro de alguns momentos com total clareza, e me lembro de me sentir aliviada. Por não haver um processo de julgamento, por ninguém analisar o que tinha acontecido, por não botarem a culpa em um garoto de dezoito anos que não queria que aquilo acontecesse.

Bradley "Lee" Goody. Dezoito anos.

Eu nem sabia que o sobrenome dele era Goody. Ou que o nome era Bradley. Por muito tempo, ele era só Lee para a gente, o cara que bateu o carro que matou Daisy, e nada mais. Algumas vezes, senti culpa. Nossa dor era tão gigantesca e importante que eu me esquecia que outra família sentia a mesma coisa, em algum lugar por perto.

Me afastei das fotos e segui na direção da mesa da recepção, onde as pessoas faziam fila para recuperar os itens. Estou pronta para me despedir agora. Vou perguntar sobre a câmera e ir embora, quer ela tenha sido encontrada ou não.

Mas me sinto mal. A cabeça gira e os pés não se movem. Parece que tudo está alto demais. Algo borbulha dentro de mim, em um buraco escuro e profundo.

Bradley.

Bradley "Lee" Goody.

Não. Não, não, não.

Então eu o vejo.

Do outro lado do espaço lotado, na frente da fila. É ele mesmo, não tenho dúvida. Não é alguém que parece ou soa como ele. É Sam, e embora seja inundada por alívio, porque senti falta dele todos os dias, não consigo andar. É como se estivesse presa e afundando na areia movediça. Agora ele me vê. Sam tem um envelope na mão. Sinto como se eu fosse desmaiar, como se o chão fosse se desfazer embaixo dos pés.

Ele acena com a outra mão, como se tivéssemos simplesmente nos trombado na rua ou no supermercado, mas franze a testa, confuso. Devo estar parecendo tão descontrolada quanto me sinto. Com a boca aberta, semicerrando os olhos, como alguém tentando desesperadamente ligar os pontos em um lugar lotado demais, barulhento demais, e que agora parece estar balançando de um lado para o outro.

Sam avança pela multidão. Minha cabeça gira, mas eu sei. Eu sei, eu sei, eu sei.

"Noelle. O que você tá fazendo aqui?"

"É do Lee", digo, olhando para o envelope na mão dele. Sam baixa os olhos para a própria mão, como se tivesse esquecido que aquilo estava ali. Então eu vejo. A câmera no plástico transparente. "Lee", digo, com o coração acelerado e a cabeça a mil por hora. "Lee era o seu primo."

Sam assente, depois congela. "É. Ele era o meu primo."

"Daisy", digo. "A Daisy era a minha melhor amiga."

34

No fundo, Daisy pareceu aliviada quando falei que não ia com ela no carro do Lee. Eu me culpei por isso por um longo tempo, montando versões na minha cabeça em que ela ficava triste ou decepcionada quando Ed se aproximava e dizia: *Vem comigo, Nell. Não vai me deixar pegar o trem sozinho, né? Por favor...* Em muitas versões meu cérebro me torturava, em muitos pesadelos Daisy me implorava para ficar com ela. Ela chorava, ficava brava comigo, até furiosa. *Por que caralho você me abandonaria?*, Daisy dizia. *Por causa desse seu namoradinho? É isso? Você podia ter impedido. As coisas podiam ter sido diferentes.*

Mas a realidade foi outra. Ela caminhou pela grama aos tropeços comigo, dando risadinhas, depois parou e apontou para o carro. Um Golf branco e rebaixado à distância. "Olha ele ali", Daisy disse. "Perto do cara alto de cabelo escuro. Acho que é o primo. Olha só. Olha só pra ele. O cabelo todo sexy."

"Gato."

"Os dois são. Bom. Até você consegue ver isso com ele de costas, e sim, dá pra saber se um cara é gato de costas, sabe? Foi cientificamente provado. E os dois são. Confia em mim."

Depois Daisy me envolveu nos braços dela e apertou com força. Nossos abraços eram sempre assim, como se ela tentasse espremer algo de mim. *Odeio abraço fraco*, Daisy costumava dizer. *É melhor nem abraçar se não tiver vontade. Qual é o sentido? Me abraça direito ou nem vem.*

"Sabia que o Lee me disse que tenho a boca mais sexy que ele já viu?", ela me contou, com a voz aguda, e eu ri na orelha dela. Daisy sempre cheirava a baunilha, de um perfume que vinha num vidrinho azul-bebê e que ela usava religiosamente.

"Sua boca é mesmo sexy."

"Espera só até você ouvir a voz dele", Daisy disse, sem conseguir parar no lugar, como alguém morrendo de vontade de fazer xixi. "É meio... não sei... canadense ou algo do tipo. Talvez ele só seja esquisito mesmo, como um daqueles caras do Busted que falam com sotaque americano, mas são de Taplow ou de sei lá onde. Eu gosto de esquisitice."

"Ele é canadense?"

Ela enlaçou meu braço. "Ah, não, ele é de Bristol, acho. Você vai saber do que tô falando quando ouvir a voz dele. Mas o primo é americano de verdade, então talvez Lee tenha pegado um pouco de sotaque dele. Você sabe como essas coisas passam." Rimos vertiginosamente, como se nunca fôssemos parar.

Caminhamos juntas pela grama macia, verde e exuberante, que amortecia nossos passos, com os holofotes nos iluminando de cima, como se fosse o sol brilhando. Acho que é por isso que em minhas últimas lembranças de Daisy parece que o sol a ilumina como um foco de luz, transformando os olhos castanhos dela em cobre brilhante, como se estivessem animados com o mundo e tudo o que aguardava por ela.

"O primo dele é bem alto, né? Você sabe que adoro o Ed, mas é uma pena você não estar solteira, porque ficaria ótima com um cara alto assim."

Dei risada e apertei o braço dela.

"Tô falando sério! Até consigo ver se fechar os olhos. Você e um cara superalto, tipo... não sei... com olhos brilhantes, braços fortes e..." Ela apontou para o primo de Lee, que estava se afastando e apalpando os bolsos. "Olha só esses ombros..."

Ela fez uma pausa, consciente de que Ed estava se aproximando por trás. "Você sabe, Ed pode ter aqueles dentes bonitos e um sorriso de propaganda da Colgate, fora todo o conhecimento entediante que as meninas da aula de biologia *adoram*." Ela olhou para mim e sorriu. "Mas é baixinho pra caralho. Tipo, acho que meu sapato trinta e quatro serviria nele."

"Na verdade, eu uso quarenta e um."

Senti o braço de Ed na minha cintura, quente e firme.

"E que quarenta e um!", eu disse, e Ed beijou minha bochecha.

"Quarenta e um é ridículo, Edward", Daisy disse. "Lee usa quarenta e quatro. Deve ter dificuldade de encontrar sapatos. O que prova que é um homem de verdade."

Parada na grama, lembrei que meu cabelo cheirava a fumaça de churrasco e levei uma mecha ao nariz. "Como você pode saber o número de sapato que o cara usa, mas não o nome dele de verdade, onde ele mora, ou se tem dezessete, dezoito ou dezenove anos?"

"Descubro o que importa primeiro. O tamanho do sapato. A habilidade de escrever poemas."

"O nome?", Ed perguntou, rindo.

"É tipo Stanley, Bradley, ou algo do tipo. Bom, Edward, agora você tem que ir."

"É mesmo?"

"Elle, vem pegar uma carona pra casa com a gente. *Por favor*. Pra conhecer o Lee."

"Tá falando do cara do curso de encanamento? O do cabelinho?"

"Isso."

"Bom, você não vai roubar minha garota", Ed disse, roçando meu pescoço com o nariz. "Eu vou junto."

"De jeito nenhum. Não tem espaço. Você não vai."

"Como assim? Então tenho que ir embora sozinho?" Ed gemeu e me puxou para si, de modo que cambaleamos juntos. "Vamos de trem comigo, Nell. Você não vai ficar de vela, né? Ninguém gosta de vela, ninguém quer ser a vela..."

"Ela não vai ser. Nell pode só dar uma olhadinha se aprova o cara e depois ir pra casa. E eu e ele vamos pro estacionamento do McDonald's vinte e quatro horas começar a pegação."

"E quando você vai conferir o número do sapato dele?", Ed perguntou. "Antes ou depois do Big Mac?"

Todos gargalhamos, sob as estrelas e as luzes fortes do holofote, com a respiração condensando no ar.

"Sério, vem comigo, Nell. Ela tem um *encontro*."

Eu pensei sobre as opções. Não queria dar uma de vela, queria ficar com Ed, mas também queria ficar com Daisy e conhecer o garoto de quem ela não parava de falar. Mas eu podia conhecer o cara em outro momento. Quando eu não fosse sobrar, quando não fosse ficar desconfortável no banco de trás, com o primo ou quem quer que fosse, enquanto ela e Lee se pegavam nos bancos da frente. "É melhor eu deixar vocês dois sossegados. Vocês vão ficar se beijando e tudo mais. A não ser que que você queira mesmo que eu vá junto, aí é claro que eu vou..."

Então Lee a chamou. "Daisy!", ele gritou. Ainda consigo ouvir a voz dele ecoando no meu cérebro se me concentrar o bastante. Era tão alta que ecoava.

"O carro não parece estar cheio", sussurrei.

272

"Viu?", Ed disse. "O amigo compridão tá indo embora."

"Opa." Daisy olhou por cima do ombro para Lee, que olhava com um sorriso enquanto acenava preguiçosamente com uma mão. Ela retribuiu o aceno e se virou para nós, com os olhos brilhando e os brincos verde-limão cintilando nas orelhas. "De repente vamos só nós dois."

Então Lee a chamou de novo, e Daisy meio que tinha começado a se afastar de costas, ainda virada para nós, com a boca em um sorrisinho rígido, tenso e animado, toda dentes, e olhos brilhando.

"Te amo", Daisy me disse. "Te mando uma mensagem."

"É melhor mandar mesmo."

E ela mandou. Uma última mensagem. *Ele simplesmente pegou minha mão e apertou. Meu coração tá dançando! QUEM IA SABER QUE O CORAÇÃO ERA CAPAZ DISSO?*

Fiquei esperando que Daisy avisasse que tinha chegado em casa, mas foi inútil. Peguei no sono no trem, e só acordei com Ed me sacudindo, porque tínhamos chegado à nossa estação. Andamos até em casa juntos, cansados e preguiçosos, com a cidade pontilhada por luzes azuis. Reclamei do som estridente das sirenes. Sirenes que depois descobri que eram por causa de Daisy e Lee. E teriam sido por minha causa também, caso eu tivesse entrado no carro.

35

A banda toca alto à distância, e a fumaça de churrasco sobe como um sinal. Estou de pé na grama úmida, abraçada a mim mesma, grata pelas várias camadas que vesti antes de sair de casa. Ainda assim, tremo da cabeça aos pés. Meus dentes batem.

"Você tá bem?", Sam pergunta.

Olho para ele, e o vento congela meu rosto marcado pelas lágrimas. "Acho que sim. E você?"

"Acho que sim também", ele diz, então leva a linda mão ao peito e dá uma batidinha. "Meu coração continua batendo."

"O meu também", digo.

Nenhum de nós diz mais nada, e eu fico olhando nossa respiração formar nuvens no ar frio do gramado onde ambos estivemos tantos anos atrás.

Era para Sam ter entrado no carro aquela noite. Dirigido, ficado de olho no primo, impedido que ele corresse. Eu também deveria ter entrado. E se tivesse...

"A gente teria se conhecido", digo, com a voz trêmula e a brisa gelada bagunçando meu cabelo. "Se eu tivesse ido com a Daisy, entrado no carro do Lee. Se você não tivesse ido embora..."

"Mas se a gente tivesse ido também..." Sam para, sem

concluir a frase. *Teríamos morrido*, penso, e sinto um peso insuportável nos ombros. Era para nos conhecermos no carro aquela noite. Se isso tivesse acontecido, eu e Sam teríamos morrido. "Ele teve sorte de sair vivo", Sam diz, triste. "Sabíamos disso, ele sabia disso. O carro ficou..." O rosto de Sam se contrai, e os olhos se fecham por um momento. Eu assinto, porque sei do que está falando. Disseram que o carro ficou todo deformado. Não passava de metal dobrado e esmagado, de vidro estilhaçado. "Ele passou duas ou três semanas no hospital. Por um tempo, meu tio não contou o que tinha acontecido com a garota. Com a Daisy. Acho que sabia o que aconteceria quando contasse..."

Abro a boca para falar, mas não consigo. Lágrimas rolam pelo meu rosto, livremente, uma a uma. Foi uma tragédia para todo mundo. De verdade. Lee deve ter deixado que a culpa o consumisse, ainda que eu tenha certeza de que Daisy teria implorado para que ele seguisse em frente.

"Fazia dois dias que ele tinha saído do hospital. Quando aconteceu. A gente..." Ele olha para o céu e abre um sorriso triste para si mesmo. Sinto meu coração se partindo dentro do peito. "A gente estava jogando videogame. *Mario Kart*. Ele me convenceu a sair pra pegar alguma coisa pra comer... É claro que eu fui. Fiquei feliz por ele querer comer. E aí... foi isso."

Enxugo minhas lágrimas, geladas por causa do vento, com as costas da mão. "Sinto muito, Sam."

"Eu também."

O som da música chega de longe, guitarras e um baixo alto demais. Vejo a silhueta de duas pessoas cambaleando bêbadas pelo gramado úmido. "Me pergunto se... esse tempo todo, não estiveram tentando...", começo a dizer, em meio às lágrimas, "fazer com que a gente se encontrasse."

"Quem?", Sam pergunta, sorrindo delicadamente, com o luar refletido nos olhos.

"Não sei."

"O destino?", ele sugere, dessa vez sem abrir um sorrisinho provocador ou brincalhão.

"É. Gosto de pensar que sim. Nem sei no que acredito, mas por um bom tempo acreditei que foi o destino que me levou a conhecer o Ed, que foi o destino que me impediu de entrar no carro, e então..." Solto o ar demoradamente, que se condensa ao sair dos lábios, formando uma fumacinha azulada. "Quando o Ed e eu terminamos, pensei: pra que tudo aquilo, então? Comecei a achar que talvez não fosse uma questão de destino, mas de escolha. Que talvez sempre tivesse sido uma questão de escolha. E aí... eu conheci você."

Sam para de olhar os próprios pés e me encara, fixando os lindos olhos nos meus. "E aí eu conheci você", ele repete.

A banda começa a tocar uma música nova, e uma parte do público vibra. O vinho e a cerveja estão fazendo efeito, as inibições ficam de lado. A multidão canta desafinada e aos gritos.

"Você lembra por que foi embora? Por que não entrou no carro?"

Sam faz que sim com a cabeça e volta a baixar os olhos para os pés. "O chaveiro." Ele olha para mim por baixo do cabelo escuro. "Notei que tinha perdido e me virei por... um minuto, só isso, pra procurar no chão."

"O quadrado? O que tá comigo?"

Ele assente. "Achei que tivesse deixado cair aqui. Digo, talvez tenha sido mesmo, mas acho que..."

"É o seu chaveiro."

Sam abre um sorriso tímido e relutante. "Bom, parece idiotice discordar disso a essa altura..."

"É o seu chaveiro. Eu sei que é. E... o ramo de urze... ele te protegeu."

Sam dá risada, passa a mão pelo cabelo e dá de ombros, parecendo um menino. "Minha mãe também acha isso."

Alguém diz alguma coisa ao microfone lá longe, e algo começa a cair do céu escuro. Chuva. Granizo.

"Você... você estava mesmo a caminho do aeroporto da outra vez?"

Sam assente com firmeza, mordendo o lábio. Quanto mais tempo ficamos aqui, mais a precipitação começa a parecer outra coisa que não chuva ou granizo. "Estava. Eu ia passar aqui, pegar as coisas do Bradley e... mas não sei, Noelle, não consegui encarar a situação, então nem vim. Nunca consegui encarar. Dizer em voz alta..."

"E a câmera... foi você quem ligou pra saber da câmera?"

Sam volta a confirmar com a cabeça. "Tem uma foto nossa. Minha com o Bradley. Não tenho nenhuma foto da gente junto. Daisy deu pra ele."

"A câmera?"

"É." Sam sorri, com o olhar distante, como se assistisse a uma lembrança que eu não consigo ver. "Ela já tinha entregado o envelope e se esquecido completamente da câmera. Então pediu que Bradley colocasse no dele, que estava vazio. Ele não estava interessado na cápsula. Só queria saber da festa." Sam ri sozinho com a última frase.

"Então você a conheceu", eu digo, e a constatação é como um abraço caloroso. "Você conheceu a Daisy."

"É", Sam responde, com um sorriso, como se tivesse entendido tudo muito antes de mim. "Ela era... cheia de vida, né? Pura energia. Gritou dizendo pra sorrir, me animar, olhar pra câmera e parecer *gato*."

Dou uma risada. É uma risada quente, que vem de dentro da barriga. Daisy conheceu Sam. Morreu sabendo quem ele era. O homem por quem estou apaixonada. Ela o conheceu antes que eu o conhecesse.

Quando olho para Sam agora, no gramado escuro com gelo acumulado, com o prédio iluminado atrás de nós, tenho mais certeza do que já tive de qualquer outra coisa: eu o amo. Amo Sam Attwood. De verdade.

"Eu sabia que tinha um motivo pra ficar trombando com você", digo. Lágrimas rolam pelas minhas bochechas. "Sei que você não achava isso. Mas eu achava. No fundo, eu sempre soube."

Sam olha para mim, triste. "Eu tentei", ele diz. "Quer dizer, acho que eu vivia me enganando. Mas gostei de você no segundo em que entrou no meu carro. Aonde quer que eu me virasse depois, lá estava você. E quando não estava eu não conseguia parar de pensar em você. Eu... eu tentei. Era assim, você... sei lá, vivia na minha cabeça." Sam ri, com a mão no queixo quadrado. "Não consigo explicar. Como... me sinto quando tô com você, Noelle."

Sinto que meu coração é dez vezes maior que meu corpo e está cheio de gás hélio, e eu vou sair flutuando, como um balão. Penso em Jenna. Penso no aniversário de namoro deles, penso em Steve e Miranda, e as lágrimas caem mais rápido.

"Eu te amo", digo, com a voz rouca, deixando os braços caírem ao lado do corpo. "De verdade, Sam. Sei que é tarde demais e provavelmente inapropriado. Sei que falo muito, só que nunca falo sobre como me sinto ou o que quero, porque acho que não importa, mas... importa, sim. Não espero que você diga nada em troca. Mas é verdade. Eu te amo, Sam. Você pode ouvir isso e ir embora, levar isso com você até as montanhas, se for o caso."

Os olhos de Sam brilham ao luar. Ele ri, mostrando os dentes brancos. Então se aproxima, reduzindo a distância entre nós no campo escuro, e baixa a cabeça. "Por que seria tarde demais?", Sam sussurra.

"Porque... foi seu aniversário de namoro..." Volto a chorar. "Steve e Miranda... A ponte... O..."

Sam leva a mão até minha bochecha. "Noelle, eu não fui à ponte. Bom, na verdade não tinha ponte, era só a sessão de terapia de casal mesmo." Ele dá outra risada. "Na verdade, eu fui. Mas pra dizer que estava tudo acabado."

"Sério? Mas você não me escreveu, não ligou..."

"Eu queria dar espaço pra você e pro Ed."

"Eu e *o Ed*? Mas você sabia que não tinha jeito, que ele estava noivo e..."

"Noelle." Sam pega minhas mãos nas suas, fortes e quentes. "Quando a gente conversou no hotel, Ed me pediu pra não contar o que tinha dito pro meu pai e pra mim. Eu disse que não contaria, com uma condição: que ele estivesse te levando a sério. Se não tivesse intenção de ficar com você de verdade, era melhor cair fora. Porque você merece ser feliz. É claro que eu não queria que você fosse feliz com ele, porque sou um babaca egoísta. Eu queria que você fosse feliz comigo. Mas sabia o quanto o Ed significava pra você... e não queria ser o cara que ficaria no caminho..."

"Ele não significa mais nada pra mim", digo, balançando a cabeça. "Você significa tudo. *Você*."

Pego o rosto quente e lindo dele nas minhas mãos frias, e a barba por fazer pinica meus dedos. Esperei muito tempo por isso. Por ele.

"Digo o mesmo, Gallagher." Sam sorri para mim, então sinto seus lábios quentes nos meus, sua mão pegando meu rosto, seus dedos no meu cabelo. O beijo é suave e urgente, como se tudo o que passamos todo esse tempo desejando finalmente se realizasse. Esse beijo é uma promessa ao mundo, ao universo, ao destino. De que estamos aqui. Finalmente.

Sam recua e olha no fundo dos meus olhos.

"Passei a vida toda sem sentir como me sinto quando tô com você. Não quero passar nem mais um dia."

"Então não vamos passar."

"Não vamos", confirma Sam, quando flocos de neve começam a cair do céu.

36

"Que besteirada." Charlie bufa. "Tô congelando aqui."

"Que nada, Char. É revigorante", digo. "Não tá sentindo o cheiro de aventura? Achei que aventura estivesse na lista de coisas que são a sua cara."

"Aventura tá na minha lista, sim, Noelle... *Merda!*" Charlie escorrega na beirada e se agarra ao braço de Theo. "Morrer numa trilha com o Capitão América é que não tá. Eu reservei cabanas luxuosas pra acampar no meu aniversário. Com aquecimento. E *banheiro*."

"Ah, vamos lá, Charlie", Sam diz. "Vai valer a pena quando chegarmos lá."

"Vai valer a pena quando chegarmos lá e eu abrir a garrafa enorme de espumante que tenho na mochila. Minha mãe tá com a bebê, e tô louca pra ficar bêbada antes do meio-dia."

Sam sorri para mim, com a pele banhada pelo sol de inverno, e sinto um friozinho na barriga. Sam, meu namorado. Sam, meu namorado *de verdade*.

"Trouxe um suco delicioso pra gente", diz Theo, inspirando fundo e olhando para as árvores, como se desfrutasse de cada momento e absorvesse tudo. "De flor de sabugueiro. Feito em casa."

"Vai ficar uma delícia com o espumante", Charlie diz.

Todos rimos, e eu seguro a mão de Sam enquanto subimos a colina, com as folhas molhadas deslizando debaixo dos nossos pés. Comprei botas de trilha e uma calça impermeável só para isso. E para a escalada que Sam insiste que a gente faça na primavera, não muito longe de onde ele trabalha, no País de Gales. *É uma escalada curta*, Sam prometeu. Ele estava sentado na beirada da minha cama na véspera de Natal, com os olhos fechados. Até que apareci vestindo minha calça impermeável e as botas de trilha e disse que ele podia abrir os olhos, então estendi uma perna sobre a cama, bati no meu joelho e disse: *Estas belezuras não são pra escaladas curtas.* Dei risada, e Sam arregalou os olhos.

Puta merda, ele disse, então riu também e me puxou para o colo.

Feliz Natal, eu disse.

É a coisa mais sexy que já vi, Sam comentou contra minha boca. *Minha namorada escala.*

As seis semanas desde o evento da cápsula do tempo se passaram num borrão maravilhoso. Sam voltou ao trabalho em Snowdon, e eu me reuni com os pais do Theo para conversar sobre a possibilidade de alugar o quiosque deles. Depois de uma noite sem dormir, várias conversas com minha mãe e Ian e algumas horas malucas rabiscando sem parar em um caderno enquanto pensava em todas as possibilidades, boas ou ruins, risquei tudo, respirei fundo e disse sim. Tenho um monte de coisa para fazer — um monte mesmo, minha própria montanha congelada —, mas daqui a oito semanas vou abrir minha banca de flores. *Eu!* Noelle Butterby. Aos trinta e dois anos, quase trinta e três. Eu disse sim, e caso precise vou entrar em pânico depois (e muito).

Charlie está trabalhando numa placa e no logo. Theo

disse que pode contribuir com trufas para a inauguração, e Dilly está fazendo uma lista de músicas relacionadas a flores para tocar no violão (ainda não concordei totalmente com isso, mas ele me prometeu que Storm não vai aparecer com uma bateria e que a apresentação vai ser curta). Hoje Sam e eu — eu e meu *namorado* — vamos fazer um piquenique com Theo e Charlie. Na terapia, ela listou "ter mais contato com a natureza" entre as coisas que gostaria de fazer, e quando contei a Sam os olhos dele brilharam. *Vamos fazer uma trilha*, ele disse. *Liga pra eles e marca. Conheço um lugar muito legal aqui perto.* Eu senti que ia explodir, e liguei para Charlie. *Fala que é castigo por ter reservado uma* cabaninha *pra gente*, ele disse. Depois conversamos sobre a possibilidade de voltar a acampar, dessa vez só nós dois (e sem cabanas). Também falamos de escalada, feriados e noites sem fim juntos. Voos de longa distância. Balões de ar quente.

"Olha", Sam diz agora, com a mão forte segurando a minha. "Estamos quase lá."

"Você quer que a gente suba isso?", pergunta Charlie, como se ele tivesse acabado de mostrar um vulcão em erupção.

"É uma elevação pequena, mas a vista..."

"Espumante", Charlie diz para si mesma. "Pensa na porcaria do espumante."

Parece perigoso ser tão feliz, e tenho certeza de que por um tempo vai ser mesmo. Como Frank disse, quando se tem medo de uma coisa por tanto tempo, de alguma forma ela acaba mexendo com a nossa programação interna. Você diz a si mesmo que simplesmente não é para você, que você não faz as regras, que todas as coisas de que os outros desfrutam não são possíveis para você, não estão disponíveis. Mas, na verdade, elas estão, sim. Tudo está disponível, como Sam me fez ver, como *eu* me convenci a ver. E quem disse que não dá para ter uma programação completamente diferente? Limpar algumas partes e substituir outras?

Sam me puxa, e eu puxo Charlie, até o topo. A vista à nossa frente nos deixa sem ar.

"*Puta merda*", Charlie consegue dizer. "Por acaso estamos em Mordor?"

"Quase." Sam ri. "Estamos a uns quinze minutos da sua casa. Olha..." Sam aponta, enquanto mantém a outra mão nas minhas costas, de maneira protetora. "A igreja tá bem ali."

"Minha nossa. Olha só. Parece... não sei, um vilarejo no Natal. Algo tirado de um desenho infantil."

"É lindo", Theo diz. Olho para Sam, que já está olhando para mim.

"Bom, essa foi uma bela trilha", diz Charlie, oferecendo o punho cerrado. Sam dá um soquinho, sorrindo. Charlie se inclina e beija a bochecha dele. "Obrigada. Eu precisava disso, Capitão." Ela volta a olhar para a cidade. "Me sinto *viva!*", Charlie grita. "viva!"

"Nossa cidade", diz Theo, claramente comovido, com o rosto orgulhoso visível entre o gorro de lã grosso e um cachecol tricotado a mão pelo Jet. Jet, o do corpão.

"Então, Sam", Charlie começa a falar, meio sem fôlego. "Acha que um dia pode se tornar sua cidade também? Qual é o plano?"

"*Charlie*", eu digo, mas não consigo evitar me derreter no ombro de Sam, rindo. Charlie Wilde. A destemida Charlie. Sam e eu ainda não falamos sobre isso. Sobre o que vai acontecer. O trabalho dele no País de Gales e o meu aqui. No momento, só estamos saindo, acho. Estou tão cheia de esperança, tão animada, que nem me importo. Sei que estamos exatamente onde deveríamos estar. Sei que sempre vamos encontrar um caminho. Os quinze anos longe um do outro deixaram isso claro.

"Ei, Char", Theo diz. "Vem me ajudar a montar o piquenique."

"Claro", ela diz, depois estende o braço como uma atriz interpretando Shakespeare. "Me encha até o talo com seus tomates maravilhosos, meu amor." Ela ri. "Abra meu sedento terceiro olho."

"Isso porque ela ainda nem tomou o espumante", digo a Sam, que ri.

Charlie e Theo se afastam, com ela rindo ao lado dele, até um trecho plano do gramado em que estamos. Eu e Sam ficamos vendo os dois abrirem uma manta roxa no chão frio e duro.

"Nunca fiz um piquenique no inverno", digo. "Ao ar livre. No meio das árvores. No topo de uma colina."

"Se quer minha opinião, não existe dia ou lugar ruim quando se trata de comer." Sam sorri e se inclina para me beijar com seus lábios suaves e maravilhosos.

"Uma estrada. Uma sacada."

"Um carro alugado", acrescenta Sam. Eu encosto a cabeça no ombro dele e fico olhando para a cidadezinha lá embaixo, que parece mesmo algo que poderia ser comprado em uma loja, para colocar de decoração na janela, enquanto músicas cafonas de Natal tocam. "Tá vendo ali, a igrejinha?", Sam pergunta.

Faço que sim, ainda encostada no ombro dele.

"E bem ali... tá vendo? É o antigo prédio do meu pai."

"A-hã."

"E ali tá o parque. Mais pra lá, um pontinho microscópico, fica um canteirinho que ele tem."

Faço que sim de novo.

"Que ele deu pra mim", Sam diz, se virando e encostando a boca no meu cabelo. "E eu quero te dar. Se você topar. Sem pressão nenhuma. É só que você disse que queria ter espaço pra plantar, já que o jardim da casa da sua mãe tá..."

Ergo a cabeça e olho nos olhos dele. "Tá falando sério?"

Sam sorri. "Claro. É todo seu. Se quiser. De mim pra você. Bom, do Frank pra você, na verdade. Sou só o intermediário."

Dou risada, segurando o rosto dele nas mãos. Às vezes faço isso e tenho vontade de apertar cada centímetro. *Cravar os dentes e morder*, como Charlie diz sobre o Theo. Nunca entendi muito bem. Achava que essa era outra das coisas deles, como reiki, os minipepinos do Theo e o terceiro olho da Charlie se abrindo só de comer frutas e vegetais. Mas agora entendo. Entendo perfeitamente.

"*Obrigada*! Nossa. Obrigada mesmo."

"Eu te dou a chave. Antes de voltar. Pra você poder explorar seu pedacinho de terra."

"Já amei. Meu pedacinho de lama."

37

"Opa, dá uma olhada nisso", Dilly diz, afinando o violão.

"O quê?"

"Ali. Saindo do trem. Olha essa bunda."

"*Dilly.*"

"O que foi?" Ele mexe numa tarraxa no violão. "Olha só, o cara parece feito de mármore ou coisa do tipo."

"Quer parar de afinar a porcaria do violão e começar? Sei lá, toca alguma coisa, canta, faz algo de útil. Droga, cadê o Theo?"

Dilly suspira e passa a mão pelo penteado em formato de suspiro. "Relaxa, Elle. A banca ficou ótima. As flores estão ótimas. E você... bom, pra ser sincero, seu vestido lembra um pouco uma cortina, mas no geral você tá ótima. Então relaxa, pode ser? Falando sério."

Hoje é o dia. A abertura da minha banca de flores na estação de trem. *Minha. Tenho um negócio próprio.* Nem consigo acreditar nessas palavras. E Dilly está certo: tudo está ótimo, como eu imaginei que seria. Quando abertas, as venezianas de madeira servem de prateleira e agora estão cheias de flores lindas recém-desabrochadas, algumas montadas em buquês, outras em maços soltos, separadas para pedidos personalizados. A placa de Charlie está acima da minha cabeça, lindamente pintada em madeira, meu nome em uma caligrafia de tatuagem em branco e laranja, com o talo verde e as pétalas redondinhas de uma margarida emaranhados às letras. A banca é pequena. É linda. É *minha*. Um lugar onde faço o que amo, com pessoas indo e vindo, explorando, vivendo aventuras no mundo, depois voltando para casa. Ou não.

"Que horas são?", pergunto, nervosa.

"Oito e meia. Ah, olha os dois ali." Dilly ergue a mão e faz um grande aceno, como alguém tentando chamar um amigo em uma balada.

Charlie vem trotando, com um balão de hélio enorme em forma de flor na mão, o sorriso largo, e a outra mão no ar, como se estivesse em um show. "Minha garota!", ela grita. Os passageiros da manhã tiram os olhos do café e se voltam para nós, rigidamente. "Você conseguiu. Puta merda, vou chorar. Tá incrível. Não é, Theo? In-crí-vel."

Charlie corre na minha direção e me abraça, depois enrola a fita do balão de hélio nos meus dedos.

"Pra você." Ela sorri, ajeitando meu cabelo atrás das orelhas. "Tô muito orgulhosa."

Theo olha para a placa da loja, depois para mim. Solta o carrinho onde Petal está sentada, com um croissant enorme nas mãozinhas gorduchas, e trava as rodas. "Parabéns, Elle", diz Theo, dando a volta na filha para me abraçar. "É exatamente como imaginei. Eu sempre soube que aconteceria."

"Ele teve uma visão", diz Charlie, com uma piscadinha. "Numa cerimônia de purificação."

"Com o Jet, sem dúvida", digo

"Claro." Ela ri. "Depois da aula de sexo oral feminino."

Charlie e eu rimos alto. Nossa felicidade ecoa pela estação, ricocheteia pelas paredes, e Theo tira fotos nossas. Pego Petal no colo e faço pose. Charlie pressiona a bochecha contra a minha, enquanto Dilly enfia a cabeça no enquadramento, fazendo uma cara idiota. Eu me sinto plena. Cheia até a borda. De felicidade. Amor.

Então ouço uma voz familiar.

É minha mãe. É ela. Está aqui, e está linda. O sol bate em seu rosto, e ela usa seu batom rubi preferido, botas até a altura dos joelhos e o casaco de pele que costumava vestir depois de se apresentar à noite. Minha mãe. Minha maravilhosa mãe. Quando ela me vê, se desfaz em lágrimas. Eu queria muito que ela viesse. Está indo aos poucos, mas vir aqui, de bengala — Dilly pintou de *pink* e cravejou brilhantes nela —, é um enorme passo. Gigantesco.

"Ah, Elle. Ah, Elle, tá tão lindo. *Maravilhoso*." Ela abre as lapelas do casaco impermeável bege de Ian e chora no peito dele.

"Parabéns, Noelle", ele diz, como um homem sensato e contido, enquanto dá tapinhas nas costas da minha mãe. "Você se saiu muito bem. Já deixei uma avaliação no Google. Não falei? Sou guia local."

Todos ficam para provar as trufas de cacau e água-de-rosas de Theo. Candice e Steve também aparecem, tendo aproveitado a pausa para um cigarro e dado uma escapadinha do trabalho. Dilly canta duas músicas, sob o olhar atento da minha mãe, que bate palmas e canta junto. Sinto que meu coração vai explodir quando a vejo balançando a cabeça de um lado para o outro, assistindo ao filho ao vivo, como antes. Ela está aqui. Eu estou aqui. Estamos assustadas, claro — da minha parte, estou me cagando nas calças —, mas seguimos em frente mesmo assim. Estamos vivendo. Porque o agora é tudo o que temos.

Olho para trás, para minha banquinha de flores, para todo mundo que amo no mundo — ou quase todo mundo.

Penso em algo que Daisy disse uma vez, algo que escreveu em um trabalho de inglês: *a única maneira de viver para sempre é deixar partes suas para trás*. E é disso que se trata. De uma parte de mim.

Eu me viro, a brisa fresca balançando meu cabelo, sentindo o cheiro de gordura e açúcar dos *donuts* da padaria em frente. E ali está ele. A última peça. Sam. Vindo na minha direção. Alto, bonito e forte, maravilhoso a ponto de me deixar sem fome e com vontade de vomitar. Trazendo um buquê de flores enorme, da cor do nascer do sol.

Dou alguns passos para encontrá-lo no caminho. Dilly toca e canta atrás de mim. Minha mãe, Theo e Ian ficam olhando, Petal dorme, Charlie conversa com alguém de passagem, com uma bandeja de trufas na mão.

"Você veio." Sorrio para ele, e Sam sorri para mim.

"E aí, Gallagher?" Ele se inclina e me beija suavemente, em um cumprimento lento. "Desculpa. Me atrasei um pouco com meu pai. Mas tô aqui."

"Você tá aqui."

"Ao vivo e em cores", Sam diz no meu ouvido, com a voz rouca, então se endireita e olha para a banca mais adiante. "Olha só pra isso. Noelle... Ficou incrível."

"Ficou mesmo, né? E isso aqui?" Aponto para as flores na mão dele, meio que pulando de tanta animação.

"Ah, não são pra você", Sam balança a cabeça com seriedade, então a expressão se desfaz em um sorriso travesso. "Tá bom, pode ficar. São suas." Ele dá risada. "Você não pode encher essa cidade de flores e ficar sem nenhuma, né?"

"Eu adorei. São ásteres."

"É, eu sei. Fiz uma pesquisa." Ele me entrega as flores, e o papel em que estão embrulhadas faz barulho.

"É mesmo?"

Sam confirma com a cabeça, então leva a mão ao meu rosto e segura meu queixo delicadamente, entre o dedão e o indicador. "Representam paciência."

Meu coração acelera. "É verdade. Representam mesmo." *Paciência*. Foi a paciência que nos trouxe até aqui. Poderia ter acontecido quinze anos antes, poderia ter acontecido tantas outras vezes. Vai saber quantas. Vai saber quantas vezes passamos um pelo outro, ou perdemos um ao outro por pouco, como dois navios passando no meio da noite. Mas não teria sido o momento certo. E agora tenho certeza de que é. O fio vermelho invisível. Pode ter emaranhado, mas nunca se rompeu.

"Ah, também te trouxe isso." Ele tira um retângulo de dentro da jaqueta, embrulhado em papel vermelho e grosso. "Pra quando você estiver pronta."

Seguro o pacote grande. São as fotos de Daisy. Só podem ser.

"Obrigada. É claro que agora tô sentindo que tenho que te dar alguma coisa também."

Sam beija minha testa. "Que nada. Já tenho tudo de que preciso." Ele sorri para mim, descendo a mão pelo meu braço e pegando a minha. "Vamos. Vamos ver sua família."

Dilly termina a música, e ouço Charlie gritar atrás de mim: "Ora, ora, se não é o Capitão América!".

Sam ri e acena. Juntos, vamos até minha banquinha, minha família, meus amigos, meu futuro. Meu *para sempre*.

Epílogo

O sol começa a se pôr, banhando a estação de trem com o brilho alaranjado. A hora do rush já passou, e resta um único buquê de flores no balde ao meu lado. O meu. De ásteres, do homem que eu amo. Eu me sento no banquinho redondo do quiosque. Fechei há meia hora, mas quis ficar um pouco aqui. Para absorver tudo do meu primeiro dia como dona de um negócio; para absorver a vida, enquanto o sol se põe, marcando o fim de outro dia.

Pego o outro presente que Sam me deu e abro. É o que eu esperava, claro. Mas as fotos não vieram em um álbum, e sim em um livro, com encadernação tipo brochura. Respiro fundo e ouço o barulho de um trem chegando, depois os pássaros piando ao se recolher e uma loja fechando. Abro na primeira página.

Vejo os pés de Daisy, o All Star rosa detonado na grama verde e congelada. A próxima foto é do céu profundamente azul, parecendo um borrão. A terceira, o prédio da escola de tijolinhos cor de areia e os parapcitos. E então: *aqui estamos nós*. Daisy e eu. Sorrindo, abraçadas, juntinhas, com as bochechas coladas. Amor. Amizade. O mundo aos nossos pés. Não é difícil olhar para a foto, como eu achei que seria. Não me faz chorar, como achei que seria o caso. Só me faz sorrir, faz meu coração inchar de amor por ela. Por ela e por mim. Por eu agora saber como é amar alguém como amei Daisy.

Depois vem outra foto do céu — na verdade, da lua, perolada e brilhante. Daisy sempre adorou a lua. Dizia que fazia com que se sentisse pequena e insignificante, com o mundo sobre seus ombros. Então Lee. *Bradley Goody. Dezoito anos.* Loiro, piscando os olhos, com as bochechas vermelhas de frio. Ao lado dele, um Sam jovem, alto e magro, com o braço forte nos ombros do primo. Passo o dedão por cima da foto. Quem imaginaria que acabaríamos assim? Que acabaríamos aqui? Eu e o garoto da fotografia?

Passo pelas demais folhas. Tinha me esquecido de como essas fotos antigas eram ruins. A luz estava sempre errada, o flash era visível, e órbitas e borrões de luz apareciam na revelação. Daisy adoraria as câmeras dos iPhones atuais. Documentaria a vida inteira. Com certeza seria uma *influencer.* Era impossível não olhar para ela. Eu daria qualquer coisa para ver os *stories* dela no Instagram, ou posts com legendas poéticas, ela cheia de estilo, usando botas pretas Doc Martens, saias compridas e chamativas, óculos de sol, com muros grafitados de fundo.

E aqui está. A foto que eu tinha certeza de que era um vislumbre do meu futuro. Meu *para sempre.* Ed e eu. Nossos rostos colados, jovens e felizes, nossos dedos entrelaçados. No fundo, o brilho branco da lua cheia e grupos de adolescentes felizes como nós. Só que meus olhos encontram algo mais, e meu coração para na hora. No canto esquerdo, à distância, desfocado, destacado de um grupo, mas sem dúvida ele. Sam. Sam Attwood. No fundo, pequeno, ao longe, mas na imagem a centímetros de mim.

Sam e eu. Eu e Sam em uma foto. A foto do meu *para sempre.*

"Oi", ele diz agora, e a cabeça desponta na porta. Ele está com um sorriso delicioso. "Tá pronta?"

"Tô. Tô pronta."

Agradecimentos

Sempre me parece desafiador escrever esta parte de um livro, ainda que seja a minha preferida. Isso porque, embora a escrita possa ser uma profissão solitária — na maior parte do tempo, somos só eu, meu notebook e muitas xícaras de café —, é preciso um montão de gente para trazer um livro ao mundo, e sem cada uma dessas pessoas eu provavelmente não teria nem sequer uma página de agradecimentos. (E é claro que fico sempre preocupadíssima de esquecer alguém!)

Em primeiro lugar, devo muito à minha incrível agente, Juliet Mushens, da Mushens Entertainment. Obrigada pelos conselhos, pelo direcionamento, pela bondade e pela amizade (e por ouvir calmamente meus áudios do tipo "vou deletar o arquivo do livro, mudar para o mato e viver reclusa, sinto muito, tchau"). Sem você e sua capacidade de apagar incêndios, eu seria como um coalinha perdido.

Também agradeço muito à equipe dos sonhos da Mushens Entertainment e a seus coagentes, incluindo a simplesmente brilhante Jenny Bent, da Bent Agency, em Nova York. E à minha editora genial Charlotte Mursell, pelo trabalho duro, pela paixão, pela empolgação e por genuinamente me entender, além de entender as histórias que quero contar (inclusive quando elas são apenas um esqueleto frágil do que virão a ser). Obrigada a Alex Layt e Lucy Cameron, e à encantadora e eficiente equipe da Orion.

Agradeço às minhas editoras nos Estados Unidos, as incríveis Emily Bestler e Lara Jones, pela visão, pelo encorajamento e pela torcida. Trabalhar com vocês duas e com toda a equipe inacreditável da Atria/ Simon & Schuster é um sonho que se tornou realidade.

Agradeço aos muito amigos que também são escritores talentosos e com quem tenho a sorte de poder contar. Vocês são os melhores colegas de trabalho à distância que eu poderia pedir. Obrigada à minha queridinha Gillian McAllister e a L. D. Lapinski, Lynsey James, Lindsey Kelk, Hayley Webster, Laura Pearson, Stephie Chapman, Rebecca Williams, Lia Middleton, Nikki Smith, Holly Seddon, Hina Malik e muitas, muitas outras pessoas que fazem meu mundinho parecer muito mais amplo e caloroso. Vocês são como a ventoinha da minha CPU, faça chuva ou faça sol. Suas lindas palavras fazem do mundo um lugar melhor.

Muito obrigada a meus lindos amigos que me aceitam e me amam mesmo eu sendo uma ermitã com um espírito muito mais velho do que minha idade real e que adora passar as noites de sexta de pijama. Vocês sabem quem são.

Mãe e Steve, pai e Sue, Bubs, Vicky, Alex, Lottie e Max, vovó e vovô, Alan e Libby. Vocês são a família mais calorosa, esplêndida e divertida que existe. Eu ficaria perdida sem vocês e sem seu amor.

A meus três lindos bebês e a Ben: obrigada por me amarem. Obrigada por serem minha segurança e meu lar. Obrigada por me aceitarem pelo que sou (e por encher a minha bola e dizer que eu poderia ganhar o *Masterchef* toda vez que acerto o prato no domingo).

E obrigada a vocês, leitoras. A todo mundo que leu meus livros, publicou críticas, entrou em contato, ajudou no boca a boca e escreveu textos lindos sobre eles. Sem vocês, eu não teria sido capaz.

TIPOLOGIA Adriane por Marconi Lima
DIAGRAMAÇÃO Vanessa Lima
PAPEL Pólen Soft, Suzano S.A.
IMPRESSÃO Gráfica Bartira, outubro de 2022

A marca FSC® é a garantia de que a madeira utilizada na fabricação do papel deste livro provém de florestas que foram gerenciadas de maneira ambientalmente correta, socialmente justa e economicamente viável, além de outras fontes de origem controlada.